Las Lecturas ELI son una completa gama de publicaciones para lectores de todas las edades, que van de apasionantes historias actuales a los emocionantes clásicos de siempre. Están divididas en tres colecciones: Lecturas ELI Infantiles y Juveniles, Lecturas ELI Adolescentes y Lecturas ELI Jóvenes y Adultos. Además de contar con un extraordinario esmero editorial, son un sencillo instrumento didáctico cuyo uso se entiende de forma inmediata. Sus llamativas y artísticas ilustraciones atraerán la atención de los lectores y les acompañarán mientras disfrutan leyendo.

El Certificado FCS garantiza que el papel usado en esta publicación proviene de bosques certificados, promoviendo así una gestión forestal responsable en todo el mundo.

Para esta serie de lecturas graduadas se han plantado 5 000 árboles.

Miguel de Cervantes

Don Quijote de la Mancha

REDUCCIÓN LINGÜÍSTICA,
ACTIVIDADES Y REPORTAJES
DE
DAVID TARRADAS AGEA

ILUSTRACIONES
DE
VALERIO VIDALI

LECTURAS ELI JÓVENES Y ADULTOS

Miguel de Cervantes
Don Quijote de la Mancha
Reducción lingüística, actividades y reportajes de David Tarradas Agea
Ilustraciones de Valerio Vidali

Lectura ELI
Ideación de la colección y coordinación editorial
Paola Accattoli, Grazia Ancillani, Daniele Garbuglia (Director artístico)

Proyecto gráfico
Sergio Elisei

Compaginación
Gianluca Rocchetti

Director de producción
Francesco Capitano

Créditos fotográficos
Shutterstock

Fuente utilizada 11,5/ 15 puntos Monotipo Dante

P.O. Box 6
62019 Recanati MC
Italia

T +39 071750701
F +39 071977851

info@elionline.com
www.elionline.com

Impreso en Italia por Tecnostampa Recanati – ERA 409.01
ISBN 978-88-536-1300-4

Primera edición Febrero 2012

www.elireaders.com

Sumario

Estos iconos señalan las partes de la historia que han sido grabadas. **Empezar**  **Parar** 

Don Quijote
de la Mancha
Rocinante

PERSONAJES PRINCIPALES

La obra

1 Contesta marcando (✓) la opción correcta.

1 "El ingenioso hidalgo don Quijote de la Mancha" fue escrito entre finales del siglo XVI y principios del siglo XVII. Durante este período España se convertirá en:

- **A** ☐ la primera potencia mundial
- **B** ☐ la primera potencia europea
- **C** ☐ una potencia de segundo rango
- **D** ☐ una colonia

2 ¿Qué nombre recibe este periodo en la literatura española?

- **A** ☐ el Siglo de Plata
- **B** ☐ el Siglo de Oro
- **C** ☐ el Siglo del Genio
- **D** ☐ el Siglo de las luces

3 ¿A qué subgénero narrativo pertenece el Quijote?

- **A** ☐ la novela de caballerías
- **B** ☐ la novela policíaca
- **C** ☐ la novela histórica
- **D** ☐ la novela de ciencia ficción

2 Una buena parte de la obra transcurre en la Mancha, lugar de donde es originario don Quijote.
¿Sabrías situar en el mapa esta región española?

3 En el lenguaje corriente, ¿qué significa...?

1 un quijote

A ☐ un loco
B ☐ una persona con ideales elevados que defiende causas nobles
C ☐ una persona que lucha por amor
D ☐ una persona que posee mucha fantasía

2 una dulcinea

A ☐ una mujer muy hermosa
B ☐ una mujer distante
C ☐ una mujer amada ideal
D ☐ una mujer muy inteligente

4 Completa el siguiente texto con las palabras adecuadas y tendrás el argumento de la obra.

hidalgo • fama • fruto • lugar • victorias • nombre locura • dama • caballero • escudero

En un (1) ____________ de la Mancha, el (2) ____________ Alonso Quijano se vuelve loco a causa de la lectura de los libros de caballerías. Decide convertirse en (3) ____________ andante y salir en busca de aventuras y (4) ____________. Cambia de (5) ____________ y se hace llamar don Quijote de la Mancha; y elige a una (6) ______ a quien dedicar sus (7) ____________ y a quien llama Dulcinea del Toboso. En sus salidas lo acompaña también Sancho Panza, su (8) ____________. Salen en busca de aventuras pero la mayoría son (9) ____________ de la imaginación del caballero. Sus amigos y familiares intentan varias veces y por todos los medios curar su (10) ____________.

¡Tienes la palabra!

5 ¿Qué intención crees que tenía Cervantes cuando escribió esta obra?

A ☐ Defender los libros de caballerías y volverlos a poner de moda.
B ☐ Criticar y ridiculizar los libros de caballerías.
C ☐ Parodiar los libros de caballerías.
D ☐ Hacer prohibir los libros de caballerías.

Capítulo 1

De la condición del famoso hidalgo, de como fue armado caballero y tomó un escudero, y de sus primeras aventuras

▶ 2 En un lugar de la Mancha, de cuyo nombre no quiero acordarme, no ha mucho tiempo que vivía un hidalgo*. Tenía unos cincuenta años y era de complexión robusta, seco de carnes, de enjuto* rostro, gran madrugador y amigo de la caza. Vestía modestamente y comía sobriamente. Poseía un rocín* flaco y un perro de caza. Tenía el sobrenombre de Quijada o Quesada.

Los ratos que estaba ocioso —que eran los más del año—, leía libros de caballerías, con tanta afición y gusto, que olvidó casi completamente el ejercicio de la caza, e incluso la administración de su hacienda; y llegó a tanto su curiosidad y obsesión por los libros de caballerías, que vendió parte de sus tierras para comprar todos los que encontraba.

Vivía con un ama que pasaba de los cuarenta y una sobrina que no llegaba a los veinte. Con el cura de su lugar y con maese* Nicolás, barbero del mismo pueblo, mantenían a menudo acaloradas conversaciones sobre cuál había sido el mejor caballero.

Se enfrascó* tanto en su lectura, que se le pasaban las noches leyendo de claro en claro, y los días de turbio en turbio; y así, de poco dormir y de mucho leer, se le secó el celebro, de manera

un hidalgo miembro del escalón más bajo de la nobleza
enjuto/a muy delgado/a
un rocín caballo de mala apariencia
maese antiguo tratamiento de respeto dado a los hombres que tenían determinados oficios
enfrascarse en algo dedicarse con mucha intensidad a algo

que el pobre caballero perdió el juicio*. Se le llenó la cabeza de las fantasías y los disparates* que leía en los libros, y llegó a creer que tanto encantamientos como aventuras, batallas, desafíos y amores imposibles existían realmente.

Y para el aumento de su honra* así como para el servicio de su país, se le metió en la cabeza hacerse caballero andante e irse por todo el mundo con sus armas y caballo a buscar las aventuras, para deshacer todo tipo de entuertos* y agravios.

Lo primero que hizo fue limpiar lo mejor que pudo unas armas llenas de moho que habían sido de sus bisabuelos, y que habían permanecido olvidadas en un rincón durante siglos. Fue luego a ver su caballo, que aunque era piel y huesos, le pareció el mejor del mundo. Cuatro días tardó en ponerle un nombre, y al final lo llamó Rocinante.

Durante otros ocho días estuvo pensando en un nombre para sí mismo, y decidió hacerse llamar don Quijote, al que añadió de La Mancha, para hacer famosa su patria y así honrarla.

Solo le faltaba encontrar una dama de quien enamorarse, a quien rendir homenaje y ofrecerle todas sus victorias. Cerca de allí vivía una labradora de muy buen parecer*, de quien él un tiempo anduvo enamorado, aunque ella jamás lo supo. Se llamaba Aldonza Lorenzo, y don Quijote le dio el título de señora de sus pensamientos y la llamó Dulcinea del Toboso, porque era natural del Toboso.

Y así, sin decir nada a nadie acerca de sus intenciones y sin que nadie lo viese, una calurosa mañana del mes de julio se armó de todas sus armas, subió sobre Rocinante, tomó su lanza y salió al campo, muy contento de ver con cuánta facilidad había dado principio a su buen deseo. Pero apenas se vio en el campo, le asaltó un pensamiento

el juicio facultad mental de distinguir y valorar racionalmente
un disparate cosa absurda o contraria a la razón
la honra dignidad, respetabilidad
un entuerto daño o perjuicio que se causa a alguien
de buen parecer físicamente atractivo/a

terrible: recordó que según la ley de la caballería, ni podía ni debía combatir contra ningún caballero si antes no se hacía armar caballero. Estos pensamientos lo hicieron titubear* en su propósito; mas pudo más su locura que otra razón alguna, y decidió hacerse armar caballero por el primero que topase*, a imitación de otros muchos que así lo hicieron, según él había leído en los libros. Y con esto se tranquilizó y prosiguió su camino.

▶ 3 Anduvo todo aquel día sin que le ocurriera ninguna cosa digna de ser contada; al anochecer, su caballo y él estaban muertos de cansancio y hambre. Vio una venta*, pero se le representó que era un castillo con cuatro torres y un puente levadizo. Llegó a la puerta de la venta y vio a dos distraídas mozas que allí estaban, pero a él le parecieron dos hermosas doncellas, las cuales, al ver llegar a un hombre vestido y armado de aquella manera, sintieron mucho miedo.

—Non huyan ni teman nada, nobles damas —les dijo don Quijote—, que mi único propósito es serviros.

Lo miraron las mozas, que eran dos rameras*, y, como se oyeron llamar doncellas*, no pudieron contener la risa. En aquel momento salió el ventero*, hombre muy gordo y pacífico, quien viendo aquella figura extraña, se echó a reír también; pero temiendo la impredecible reacción de tan singular personaje, decidió hablarle con prudencia:

—Si vuestra merced*, señor caballero, busca posada, excepto lecho, porque no hay ninguno, todo lo demás lo hallará en esta venta en mucha abundancia.

—Para mí, señor castellano*, cualquiera cosa basta, porque mi equipaje son las armas y mi descanso el combate.

Las dos mozas lo ayudaron a despojarse* de su armadura. Le pusieron la mesa, y comió y bebió. Pero lo que más le fatigaba era

titubear sentir duda sobre la decisión a tomar
topar encontrar por casualidad
una venta establecimiento en el que se hospedan viajeros
una ramera mujer que se prostituye
una doncella mujer joven, en especial la que es virgen
el/la ventero/a propietario o encargado de una venta
vuestra merced antiguo tratamiento de respeto a una persona considerada superior
el/la castellano/a señor/a de un castillo
despojarse de algo quitarse algo

el no verse armado caballero, así que, terminada la cena, llamó al ventero y, encerrándose con él en la caballeriza, se puso de rodillas ante él:

—No me levantaré de donde estoy, valeroso caballero, hasta que vuestra merced me otorgue un don: esta noche velaré las armas y mañana me ha de armar usted caballero, para poder como se debe ir por las cuatro partes del mundo buscando aventuras.

El ventero, oyendo semejantes razones, estaba confuso, y acabó diciéndole que le otorgaba el don que le pedía. Así pues, tras una noche en que tuvieron lugar numerosos sucesos, acompañado de un muchacho y con las dos doncellas, fue adonde don Quijote estaba, y le mandó arrodillarse; mientras leía en un libro inventadas incantaciones*, en mitad de la lectura alzó la mano y le dio sobre el cuello un buen golpe, y, a continuación, con su misma espada, un gentil espaldarazo*, continuando murmurando entre dientes, como si rezara. Hecho esto, mandó a una de aquellas damas, la cual estaba a punto de reventar de risa, que le ciñese la espada*.

Terminada la ceremonias, no vio la hora don Quijote de verse a caballo y salir en busca de aventuras. Ensillando* a Rocinante, subió en él, no sin antes abrazar a su huésped, agradeciéndole haberlo armado caballero. El ventero lo dejó ir sin pedirle dinero por el albergue.

Al rayar el alba don Quijote salió de la venta contento. Determinó volver a su casa, pues le hacía falta un escudero. En el camino se cruzó con unos mercaderes toledanos que iban a comprar seda a Murcia. Eran seis, y venían con cuatro criados a caballo y tres mozos de mulas a pie. Apenas los divisó, don Quijote se imaginó que estaba ante una nueva aventura; y poniéndose en mitad del camino, esperó que aquellos que él creía que eran caballeros andantes llegasen; y, cuando

una incantación palabras con poderes mágicos
el espaldarazo golpe dado en la espalda con una espada
ceñir la espada a alguien poner la espada por primera vez a alguien al armarlo caballero
ensillar poner la silla de montar a un caballo

llegaron, don Quijote levantó la voz y con ademán arrogante dijo:

—¡Alto ahí! ¡Nadie pasará si antes no declaráis que no hay en todo el mundo doncella más hermosa que la Emperatriz de la Mancha, la sin par* Dulcinea del Toboso.

Los mercaderes se detuvieron al ver la extraña figura que a ellos se dirigía, y comprendiendo que estaba loco, uno de ellos, que era un poco burlón, le dijo:

—Señor caballero, nosotros no conocemos a esa buena señora que decís. Suplico a vuestra merced que nos muestre algún retrato de ella; y aunque este nos muestre que es tuerta* de un ojo, por complacer a vuestra merced, diremos en su favor todo lo que quiera.

—¡Canalla infame! —respondió don Quijote encendido en cólera. Pagaréis esta gran blasfemia que habéis proferido* contra mi señora.

Y, diciendo esto, arremetió* con la lanza contra el que lo había dicho, pero con tanta furia y mala suerte que en la mitad del camino Rocinante tropezó y cayó. Cuando don Quijote quiso ponerse en pie, tal era el peso de las armas antiguas que no pudo hacerlo. Y mientras luchaba por levantarse, llegó a él un mozo de mulas de los que allí venían, el cual tomó la lanza y, tras haberla hecho pedazos, comenzó a moler a don Quijote a palos*. Al final se cansó el mozo, y los mercaderes siguieron su camino, dejando al pobre hidalgo apaleado.

Quiso la suerte que pasara por allí un labrador de su pueblo y vecino suyo, el cual, viéndolo allí tendido en el suelo y reconociéndolo, lo montó en su asno para llevarlo a su casa. Por el camino, don Quijote estuvo desvariando*.

En casa de don Quijote, con el ama y la sobrina, se encontraban también el cura y el barbero. Estaban todos alborotados por la desaparición del hidalgo:

sin par incomparable
tuerto/a que le falta un ojo
proferir decir, pronunciar
arremeter precipitarse con ímpetu
moler a palos dar golpes con trozos de madera
desvariar decir o hacer cosas ilógicas o sin sentido

—Tres días hace que no aparecen ni él, ni el rocín, ni la lanza, ni las armas —decía el cura. ¡Estos malditos libros de caballerías que tiene y suele leer tan de ordinario le han hecho perder el juicio! Que ahora me acuerdo haberle oído decir muchas veces que quería hacerse caballero andante e ir a buscar aventuras por esos mundos.

Era de noche cuando llegó el labrador con el pobre don Quijote malherido. Salieron todos y, como reconocieron los unos a su amigo, las otras a su amo y tío, corrieron a abrazarlo.

Lo llevaron a la cama y le hicieron mil preguntas, y a ninguna quiso responder otra cosa sino que le diesen de comer y lo dejasen dormir. Así hicieron. El labrador les contó en que circunstancias y estado había hallado a su vecino, y los disparates que le había dicho durante el camino de regreso.

Mientras don Quijote dormía, entraron todos en la biblioteca en la que había cientos de obras, llevaron al corral todos los libros que encontraron, hicieron con ellos una hoguera y les pegaron fuego. Para que cuando don Quijote se levantase no los hallase —quizá quitando la causa cesaría el efecto—, tapiaron* el aposento* donde antes se encontraban los libros.

Al cabo de dos días se levantó don Quijote, y lo primero que hizo fue ir a ver sus libros; y como no hallaba el aposento donde lo había dejado, andaba de una a otra parte buscándolo. El ama y la sobrina le dijeron que un encantador llamado Frestón se los había llevado, con el aposento y todo.

—Así es —dijo don Quijote—, que ese es un sabio encantador, gran enemigo mío, que me tiene ojeriza* y procura hacerme todos los sinsabores* que puede.

Estuvo quince días en casa muy sosegado*, que pasó conversando con sus dos amigos el cura y el barbero.

tapiar cerrarlo u obstruir con un muro
un aposento habitación de una casa
tener ojeriza a alguien sentir antipatía hacia alguien
un sinsabor sentimiento de pena o preocupación
sosegado/a tranquilo/a, apacible

Entretanto, don Quijote se había propuesto encontrar un escudero, así que fue a casa de un labrador vecino suyo, hombre de bien, pero de muy poca sal en la mollera*. Tanto le persuadió y prometió, que el pobre villano* decidió irse con él y servirlo. Don Quijote le dijo, entre otras cosas, que cuando conquistara alguna isla, lo nombraría gobernador de ella. Con estas y otras promesas, Sancho Panza —que así se llamaba el labrador—, dejó a su mujer e hijos para convertirse en el escudero del hidalgo.

Como necesitaba dinero, malvendiendo* algunas de sus pertenencias y empeñando* otras, don Quijote llegó a reunir una razonable cantidad. Sin despedirse Sancho de sus hijos y mujer, ni don Quijote de su ama y sobrina, una noche se fueron del pueblo sin que nadie los viese; tanto caminaron que al amanecer estaban seguros de que no los hallarían aunque los buscasen. Iba el escudero montado sobre su asno, con sus alforjas* y su bota*, y ya se veía gobernador de la isla que su amo le había prometido…

de muy poca sal en la mollera de poca inteligencia
el/la villano/a habitante de una villa o aldea, perteneciente al estado llano
malvender vender a bajo precio sin obtener apenas ganancia
empeñar entregar un objeto como garantía de un préstamo
una alforja tira de tela con una bolsa en cada uno de sus extremos
una bota recipiente de cuero para contener vino

Comprensión lectora

1 Elige la respuesta más adecuada.

1 ¿Con quién vivía don Quijote?

A ☐ con sus padres y hermanos
B ☐ con el cura y el barbero
C ☐ con un ama y una sobrina
D ☐ con un escudero y su perro

2 ¿Cuál es la obsesión de nuestro hidalgo caballero?

A ☐ cazar
B ☐ leer la Biblia
C ☐ leer libros de caballerías
D ☐ escribir poesías

3 ¿Quién armó caballero a don Quijote?

A ☐ el rey
B ☐ el cura
C ☐ el escudero
D ☐ el ventero

4 ¿Por qué don Quijote se pone furioso contra unos mercaderes?

A ☐ No le hicieron una reverencia.
B ☐ Pusieron en duda la belleza de Dulcinea.
C ☐ Declararon que los caballeros andantes no existían.
D ☐ Lo atacaron.

5 ¿Qué hicieron los familiares y amigos de don Quijote con los libros de la biblioteca?

A ☐ Los quemaron.
B ☐ Los vendieron.
C ☐ Los ordenaron por orden alfabético.
D ☐ Los escondieron.

6 ¿Qué prometió don Quijote a su futuro escudero para que lo acompañara?

A ☐ un caballo
B ☐ una venta
C ☐ un castillo
D ☐ una isla

7 Tras haber obtenido el dinero necesario para ir de nuevo en busca de aventuras, don Quijote y Sancho:

A ☐ se despidieron de todos y se fueron al amanecer.
B ☐ no se despidieron de nadie y se fueron al amanecer.
C ☐ no se despidieron de nadie y se fueron por la noche.
D ☐ se despidieron de todos y se fueron por la noche.

Comprensión auditiva

▶ 2 **2 Escucha de nuevo la pista 2 con el inicio de la historia y luego completa este texto.**

En un lugar de la (1) __________, de cuyo nombre no quiero acordarme, no ha mucho tiempo que vivía un (2) __________. Tenía unos cincuenta años y era de complexión (3) __________, seco de carnes, de enjuto rostro, gran (4) __________ y amigo de la (5) __________. Vestía modestamente y comía sobriamente. Poseía un rocín flaco y un perro de caza. Tenía el sobrenombre de Quijada o Quesada.

Los ratos que estaba (6) __________ —que eran los más del año—, leía libros de caballerías, con tanta (7) __________ y gusto, que olvidó casi completamente el (8) __________ de la caza, e incluso la administración de su (9) __________; y llegó a tanto su curiosidad y (10) __________ por los libros de caballerías, que vendió parte de sus tierras para comprar todos los que encontraba.

Expresión escrita

3 Como don Quijote ha desaparecido, hay que lanzar un aviso de búsqueda. Haz una descripción del hidalgo a partir de los datos que posees.

Se busca persona....

Vocabulario

4 **Cervantes describe así a Sancho: "tenía [...] la barriga grande, el talle corto y las zancas largas, y por esto se le debió de poner el nombre de «Panza» [...]".**
Con esto y lo que tú sabes de ambos personajes, ¿podrías señalar los rasgos físicos que corresponden a cada uno? Y ¿podrías explicar también por qué Sancho recibe el nombre de «Panza»?

alto • gordo • esbelto • grueso • bajo • robusto • delgado • rollizo

Don Quijote	**Sancho**
__________	__________
__________	__________
__________	__________
__________	__________

Gramática

5 **El sueño de don Quijote es ser un caballero andante. Completa las siguientes frases con la forma correcta de *ser* o *estar* para conocer algunos de los principales rasgos de este personaje de los libros de caballerías.**

Para (1) __________ caballero andante, (2) __________ necesario recibir la investidura, pues sin ella su persona y todas sus hazañas no tendrán ningún valor. El padrino de esta ceremonia (3) __________ otro caballero que le trasmitirá su condición y cualidades.
El caballero andante (4) __________ una persona valiente y aventurera, y (5) __________ sujeto a un código de honor.
Debe (6) __________ hábil en el manejo de las armas y buen jinete.
Siempre (7) __________ enamorado de una dama, y todas sus victorias y logros (8) __________ para ella. Él (9) __________ fiel a este amor, aunque los amantes pueden (10) __________ separados largo tiempo.
A menudo (11) __________ acompañado de un escudero, que (12) __________ su confidente y persona de confianza.
Su vida (13) __________ llena de aventuras y obstáculos, pero si triunfa acrecienta su fama y honor.

Comprensión escrita

6 Lee atentamente el siguiente diálogo que tiene lugar en la biblioteca en el momento en que la familia y los amigos de don Quijote se disponen a hacer desaparecer todos sus libros de caballerías. ¿Crees que alguno se salvó de la quema?

—No —dijo la sobrina—, no hay que perdonar a ninguno, porque todos han sido los dañadores. Lo mismo dijo el ama. Mas el cura no vino en ello sin primero leer siquiera los títulos. Y el primero que maese Nicolás le dio en las manos fue "Los cuatro libros del virtuoso caballero Amadís de Gaula", y dijo el cura:
—Según he oído decir, este libro fue el primero de caballerías y todos los demás han tomado principio y origen de este; y así me parece que, como a dogmatizador de una secta tan mala, lo debemos condenar al fuego.
—No, señor —dijo el barbero—, que también he oído decir que es el mejor de todos los libros que de este género se han compuesto, y así, se debe perdonar.
—Así es verdad —dijo el cura—, y por esa razón se le otorga la vida por ahora. Veamos ese otro que está junto a él...

Expresión oral

7 Como don Quijote, quieres convencer a alguien de que lo deje todo para seguirte incondicionalmente. Expón oralmente los argumentos y promesas que puedes hacer para convencer a tu interlocutor.

ANTES DE LEER

¡Tienes la palabra!

8 En el siguiente capítulo va a tener lugar el famoso episodio de los molinos de viento. Según lo que tú ya sabes, di si las siguientes afirmaciones son verdaderas (V) o falsas (F).

		V	F
1	Don Quijote ataca unos molinos de viento.	☐	☐
2	El hidalgo piensa que en los molinos viven gigantes.	☐	☐
3	Don Quijote sale triunfante de la aventura.	☐	☐

Capítulo 2

De la aventura de los molinos de viento, de la batalla con el vizcaíno y de lo que sucedió en una venta

▶ 4 Llegados al Campo de Montiel, descubrieron treinta o cuarenta molinos de viento:

—La ventura* va guiando nuestras cosas mejor de lo que podríamos esperar, porque ves allí, amigo Sancho, treinta o más gigantes con los que pienso librar batalla y quitarles a todos la vida, y con el botín comenzaremos a enriquecernos.

—¿Qué gigantes? —dijo Sancho Panza.

—Aquellos que allí ves, con largos brazos.

—Mire vuestra merced que no son gigantes, sino molinos de viento, y lo que parecen brazos son las aspas.

—Bien parece que no conoces nada en esto de las aventuras. Si tienes miedo, quítate de ahí y ponte a rezar, que yo voy a entrar con ellos en desigual batalla.

Y clavando las espuelas en Rocinante, arremetió contra los molinos:

—No huyáis, cobardes y viles* criaturas, que es un solo caballero el que os acomete*.

Se levanto en aquel momento un poco de viento, y las grandes aspas comenzaron a moverse. Encomendándose* a su señora Dulcinea, embistió* el primer molino. Dio un golpe de lanza en el aspa, pero el viento la hizo mover con tanta furia, que hizo la lanza pedazos, tirando

la ventura suerte, fortuna
vil que merece desprecio
acometer atacar con fuerza
encomendarse confiarse buscando protección o amparo
embestir lanzarse con violencia o ímpetu

al caballo y al caballero, que fue rodando muy maltrecho* por el campo. Acudió Sancho Panza a socorrerle:

—¡Válgame Dios! ¿No le dije yo a vuestra merced que mirase bien lo que hacía, que no eran sino molinos de viento?

—Calla, amigo Sancho, que aquel sabio Frestón que me robó el aposento y los libros ha convertido a estos gigantes en molinos.

Sancho lo ayudó a levantarse y a montar sobre Rocinante. Siguieron su camino y anduvieron durante todo el día. Al no encontrar un lugar para dormir, decidieron pasar la noche entre unos árboles. Toda aquella noche no durmió don Quijote, pensando en su señora Dulcinea.

Al día siguiente, retomaron el camino en busca de aventuras, y encontraron a dos frailes de la orden de San Benito. Detrás de ellos venía una carroza escoltada por varios sirvientes, en la que viajaba una señora vizcaína que se dirigía a Sevilla, donde estaba su marido. Aunque iban por el mismo camino, no viajaban juntos.

—O yo me engaño —dijo don Quijote—, o esta ha de ser la más famosa aventura que se haya visto, porque aquellos bultos* negros son sin duda encantadores que llevan raptada a alguna princesa en aquella carroza, y es necesario deshacer este tuerto*.

—Mire, señor, que son frailes de San Benito, y la carroza debe de ser de alguna gente pasajera.

—Ya te he dicho, Sancho, que sabes poco de aventuras: lo que yo digo es verdad, y ahora lo verás.

Se puso en medio del camino, y cuando los frailes estuvieron cerca, les dijo en voz alta:

—¡Gente endiablada, dejad ahora mismo a las princesas que en esa carroza lleváis forzadas! Si no, preparaos a recibir la muerte, por justo castigo de vuestras malas obras.

maltrecho/a en mal estado físico o moral
un bulto cosa cuya forma no se distingue bien
un tuerto grave ofensa o insulto

Los frailes se detuvieron, sorprendidos por aquel extravagante personaje y respondieron:

—Señor caballero, nosotros somos dos religiosos de San Benito y no sabemos quién va en esta carroza.

Sin esperar más respuesta, arremetió contra el primer fraile, quien afortunadamente se dejó caer de la mula, con lo que evitó la muerte. El segundo religioso, viendo como trataban a su compañero, echó a correr.

Como don Quijote impedía el paso de la carroza, un escudero vizcaíno de los que la acompañaban le dijo:

—Anda, caballero que mal andas. Si no dejas pasar la carroza, aquí mismo te mato.

—Si fueras caballero —le respondió don Quijote con mucho sosiego*—, yo ya habría castigado tu sandez* y atrevimiento.

Sacaron ambos sus espadas y empezaron a luchar. El colérico vizcaíno descargó un golpe con tanta fuerza y tanta furia sobre don Quijote, que le cortó media oreja. Don Quijote descargó* a su vez sobre su rival, acertándole de lleno sobre la cabeza, por lo que el vizcaíno comenzó a sangrar y cayó de su cabalgadura. En el suelo todavía estaba cuando don Quijote, poniéndole la punta de la espada en los ojos, le ordenó que se rindiese, pues si no lo hacía, le cortaría la cabeza. Estaba el vizcaíno tan turbado que no podía responder palabra. Mientras, las señoras de la carroza le imploraban que perdonara la vida a su escudero.

—Hermosas señoras —respondió don Quijote—, haré con mucho gusto lo que me pedís, pero ha de ser con una condición, y es que este caballero me ha de prometer ir al Toboso, presentarse de mi parte ante la sin par doña Dulcinea, y explicarle lo sucedido.

Llena de miedo, la señora le prometió que el escudero iría a presentar sus respetos a la amada del caballero.

el sosiego tranquilidad, serenidad
una sandez hecho o dicho ignorante o sin sentido
descargar dar un golpe

Sin despedirse de nadie, don Quijote reanudó el camino y entró en un bosque, seguido de Sancho montado en su asno.

—¿Has visto más valeroso caballero que yo en toda la tierra? —preguntó don Quijote— ¿Has leído en historias otro que tenga ni haya tenido más brío* en acometer, más aliento en el perseverar, más destreza en el herir, ni más maña* en el derribar?

—La verdad sea que yo no he leído jamás ninguna historia, porque ni sé leer ni escribir.

Como el caballero tenía hambre, se pusieron a comer los dos en buena paz y compañía. Deseosos de buscar donde alojarse aquella noche, volvieron a montar a caballo y se apresuraron para llegar a un poblado antes de que anocheciese. Pero cayó la noche, y la pasaron con unos cabreros, por quienes supieron de la historia del pastor Crisónomo, fallecido debido a los amores de una moza, la hermosa Marcela.

Vivieron otras peripecias* tras las cuales fueron de nuevo apaleados, y llegaron finalmente a una venta que don Quijote se figuró que era un castillo. Viendo llegar tan magullado* y maltrecho al pobre hidalgo, el ventero mandó a su mujer y a su hija que curaran a su huésped, ayudadas por una moza asturiana que servía también en la venta, que se llamaba Maritornes.

La noche fue muy agitada, y se sucedieron idas y venidas, y nuevas peleas; creyó don Quijote que ocurrían tan extraños y maravillosos acontecimientos, al punto de pensar que aquel era un castillo encantado. Terminó la noche tan descalabrado* que pidió al ventero los ingredientes necesarios para preparar el precioso bálsamo de Fierabrás, que con sola una gota se ahorran tiempo y medicinas, pues cura todas las heridas. Tras beberlo, aunque le provocó vómitos y sudores, se sintió aliviadísimo del cuerpo y se tuvo por sano;

el brío energía y firmeza
la maña habilidad, destreza
una peripecia suceso repentino e imprevisto
magullado/a con daños causados por violentos golpes
descalabrado/a en muy mal estado físico

verdaderamente creyó que había acertado con el milagroso bálsamo y que con aquel remedio podía acometer de allí en adelante sin temor alguno cualesquiera batallas y pendencias*, por peligrosas que fuesen.

Quiso don Quijote partir inmediatamente a buscar aventuras, así que amo y escudero subieron a sus monturas. Todos cuantos estaban en la venta asistían curiosos a la escena. Llamó don Quijote al ventero y con voz muy reposada y grave le dijo:

—Muchas y muy grandes son las mercedes*, señor alcaide*, que en vuestro castillo he recibido, y se lo agradeceré el resto de mi vida.

—Solo tiene vuestra merced que pagarme la paja y la cebada de sus dos animales, y la cena y las camas.

—Luego, ¿esto es una venta?

—Y muy honrada.

—Engañado he vivido hasta aquí, que pensé que era castillo, y no malo. Pero yo no puedo contravenir a la orden de los caballeros andantes, que jamás pagan posada ni otra cosa en venta a la que vayan, pues se les debe una buena acogida en pago de sus valerosas acciones.

—Poco tengo yo que ver en eso. Págueme lo que me debe y dejémonos de cuentos y de caballerías.

—Vos sois un necio y un mal hostalero.

Y salió de la venta sin que nadie lo detuviese; y, sin mirar si su escudero lo seguía, recorrió un buen trecho. El ventero, viendo que se iba sin pagar, quiso cobrar de Sancho Panza, y lo amenazó.

Quiso la mala suerte de Sancho que entre la gente que estaba en la venta hubiera gente alegre, maleante* y juguetona, los cuales, casi como instigados y movidos por un mismo impulso, fueron hasta donde estaba Sancho y lo bajaron del asno; uno de ellos fue a buscar una manta, y, saliendo al corral, pusieron al escudero en el centro de la

una pendencia discusión, riña
la merced favor concedido
un alcaide persona que tiene a cargo la defensa de una fortaleza
un/a maleante que actúa al margen de la ley

manta, y comenzaron a mantearlo*. Al oír los gritos del desdichado, don Quijote dio media vuelta y volvió a la venta. Como las paredes del corral no eran muy altas, vio a Sancho subir y bajar por el aire, pero no pudo intervenir, ya que se sentía como paralizado. Cuando los mozos se cansaron de aquel juego, montaron a Sancho sobre su asno y lo dejaron irse. Salió de la venta, mareado pero muy contento de no haber pagado nada, aunque se habían quedado con sus alforjas.

—Estoy ahora seguro, Sancho, de que aquel castillo o venta está encantado, porque aquellos que tan atrozmente tomaron pasatiempo contigo ¿qué podían ser sino fantasmas y gente del otro mundo? Y lo sé, porque cuando estaba asistiendo a tu triste tragedia, no me fue posible subir por los muros del corral para venir en tu ayuda, ni siquiera pude apearme* de Rocinante, ya que me debieron de encantar; porque te juro que si hubiera podido, te habría vengado.

—No eran fantasmas ni hombres encantados, como vuestra merced dice, sino hombres de carne y de hueso como nosotros. Así que, señor, si no pudo saltar los muros del corral ni apearse del caballo, no eran encantamientos sino otra cosa. Y lo que yo saco en limpio* de todo esto es que estas aventuras al final nos están trayendo desventuras. Lo que sería mejor sería que volviéramos a nuestro pueblo, ahora que es tiempo de la siega, nos ocupáramos de la hacienda, y dejáramos de andar de Ceca en Meca*.

—¡Qué poco sabes, Sancho, de caballería! ¿Qué mayor contento puede haber en el mundo o igualarse al de vencer una batalla y triunfar de su enemigo? Ninguno, sin duda alguna.

—Yo solo sé que, desde que somos caballeros andantes, jamás hemos vencido batalla alguna, si no fue la del vizcaíno, y que desde entonces todo han sido palos y más palos.

mantear lanzar al aire con una manta sostenida entre varios
apearse de bajar de
sacar algo en limpio obtener una idea clara o precisa de algo
de Ceca en Meca de una parte a otra, de aquí para allí

Habían salido apenas de la venta, cuando don Quijote vio que por el camino venían hacia ellos de un lado y otro dos grandes y espesas polvaredas*. Pensó sin duda alguna que eran dos ejércitos que venían a enfrentarse en mitad de aquella espaciosa llanura, y se puso a enumerar a los personajes participantes de la supuesta batalla.

Sancho volvía la cabeza de cuando en cuando para ver si veía a los caballeros y gigantes que su amo nombraba. Cuando se acercaron lo bastante, Sancho se percató de que la polvareda la levantaban dos grandes rebaños de ovejas y carneros, y así se lo hizo saber a su amo.

—¿Cómo dices eso? —respondió don Quijote— ¿No oyes el relinchar de los caballos, el tocar de los clarines, el ruido de los tambores?

—No oigo otra cosa sino muchos balidos*.

—El miedo te turba* los sentidos.

Y, diciendo esto, picó las espuelas a Rocinante y embistió a las ovejas como si fueran sus mortales enemigos.

Cuando los pastores que acompañaban la manada* vieron aquello, empezaron a tirarle piedras, que le sepultaron dos costillas y le rompieron varios dientes y muelas, y lo hicieron caer del caballo. Como creyeron que lo habían matado, recogieron su ganado y cargaron las reses muertas, que eran más de siete, y sin averiguar otra cosa se fueron.

Todo este tiempo Sancho miraba las locuras que su amo hacía y maldecía la hora en que lo había conocido. Se acercó a él y lo encontró en muy mal estado. Viéndolo así, le dio por llamarlo el Caballero de la Triste Figura, lo cual gustó a don Quijote, quien decidió llamarse así en adelante.

una polvareda nube de polvo que se levanta del suelo
un balido voz de la oveja
turbar alterar
una manada grupo de animales

Comprensión lectora

1 Di si las siguientes afirmaciones son verdaderas (V) o falsas (F).

		V	F
1	Don Quijote ataca unos molinos de viento pensando que son castillos.	☐	☐
2	Después de la batalla contra los molinos, Sancho y don Quijote duermen en una venta.	☐	☐
3	Sancho también ha leído libros de caballerías.	☐	☐
4	En la venta don Quijote se niega a pagar.	☐	☐
5	Tras el episodio de la manta, Sancho insinúa a su amo que es cobarde.	☐	☐
6	Don Quijote dice conocer la receta de un bálsamo mágico que cura todas las heridas.	☐	☐
7	La señora que va en la carroza viaja en compañía de unos frailes.	☐	☐
8	Don Quijote sale vencedor de su enfrentamiento con el escudero vizcaíno.	☐	☐
9	Don Quijote pide al vizcaíno que vaya al Toboso a presentarse ante su señora Dulcinea.	☐	☐
10	Don Quijote y Sancho se cruzan en su camino con dos ejércitos enemigos.	☐	☐
11	Don Quijote sale ileso de su enfrentamiento con los pastores.	☐	☐
12	Sancho bendice la hora en que conoció a don Quijote y decidió servirlo.	☐	☐

2 ¿Por qué los hombres de la venta mantean a Sancho?

A ☐ Para obligarlo a pagar.

B ☐ Para llamar la atención de don Quijote.

C ☐ Para divertirse.

D ☐ Para elevarlo a lo más alto en señal de agradecimiento.

Gramática

3 Escribe en presente de indicativo los verbos entre paréntesis, y conocerás las milagrosas propiedades del bálsamo de Fierabrás, tal como don Quijote se lo cuenta a su escudero.

(Ser) (1) __________ un bálsamo del que (yo - saber) (2) la receta de memoria, con el cual no (tú - tener) (3) __________ que temer a la muerte ni las heridas. Así, Sancho, una vez lo haya hecho, si (tú - ver) (4) __________ que en alguna batalla me (ellos - partir) (5) __________ el cuerpo por la mitad, como muchas veces (soler) (6) __________ suceder, tú (recoger) (7) __________ la parte del cuerpo que ha caído en el suelo, y con mucho cuidado, antes que la sangre se enfríe, la (poner) (8) __________ sobre la otra mitad que (quedar) (9) __________ en la silla, y lo (encajar) (10) __________ todo bien. Luego me (dar) (11) __________ a beber solo dos tragos del bálsamo que yo te (decir) (12) __________, y (tú - ir) (13) __________ a verme quedar más sano que una manzana.

4 Completa las siguientes frases utilizando el adjetivo o el pronombre indefinido adecuado.

algo • nada • alguien • nadie • alguna • algunas • ningún • ninguna

1 Sancho no ha leído __________ historia de caballerías porque no sabe ni leer ni escribir.
2 El escudero no ve __________ gigante, solo ve molinos de viento.
3 En la venta le ocurren a don Quijote __________ cosas extrañas, por lo que piensa que está encantada.
4 Don Quijote no quiere pagar __________ en la venta, porque los caballeros andantes no pagan nunca.
5 __________ detiene a don Quijote al salir de la venta.
6 Don Quijote no puede ir a ayudar a Sancho cuando a este lo mantean porque __________ le impide moverse.
7 El hidalgo piensa que en la carroza viaja __________ princesa raptada por encantadores.
8 Don Quijote piensa que __________, probablemente el encantador Frestón, lo persigue cambiando la apariencia de las cosas.

Vocabulario

5 **Don Quijote tiene una visión deformada de la realidad:**

caballeros andantes • fantasmas • aspas • ventero • ejércitos
gigantes • balidos de oveja • doncellas • venta • frailes • princesa

1 ☐ No ve una _____ sino un castillo.
2 ☐ Cree que el _____ es el señor del castillo.
3 ☐ Piensa que dos prostitutas que hay en la venta son dos _____.
4 ☐ Confunde a unos mercaderes toledanos con _____.
5 ☐ Los molinos de viento son para él _____.
6 ☐ Las _____ de los molinos le parecen los brazos de los gigantes.
7 ☐ Está convencido de que en la carroza hay una _____ raptada y no una simple viajera.
8 ☐ Delante de la carroza ve a encantadores en vez de a _____.
9 ☐ Según él, los hombres que mantean a Sancho son _____.
10 ☐ Imagina que dos rebaños de ovejas y carneros son dos _____.
11 ☐ Sancho oye _____ pero don Quijote oye relinchos de caballo.

6 **¿Qué puede significar la expresión "luchar contra molinos de viento"? Justifica tu respuesta.**

A ☐ luchar contra un adversario más fuerte que nosotros
B ☐ luchar por unos ideales nobles
C ☐ luchar o por causas perdidas o por causas imposibles
D ☐ hacer todo lo posible para no tener que luchar

7 **¿Qué crees que es un vizcaíno?**

A ☐ una persona muy fuerte y violenta
B ☐ una persona muy rústica
C ☐ un noble
D ☐ una persona que proviene de la provincia de Vizcaya

8 **Entre estas palabras, ¡encuentra el intruso!**

silla • caballo • alforjas • aspa • riendas • mula • bocado • espuelas

Expresión escrita

9 **Sabemos que, después de pasar la noche con los cabreros, don Quijote y Sancho vivieron otras peripecias y que fueron de nuevo apaleados antes de llegar a la venta. Imagina una aventura para los dos, inspirándote en las que has leído en el capítulo.**

____

____

____

____

____

Expresión oral

10 **Nuestro hidalgo se hace llamar primero don Quijote de la Mancha y luego el Caballero de la Triste Figura, y da a su dama el nombre de Dulcinea del Toboso.**
¿Qué nombre escogerías para ti si fueses caballero andante o dama? Explica por qué.

ANTES DE LEER

¡Tienes la palabra!

11 **Sancho le dice a don Quijote: "(...) estas aventuras al final nos están trayendo desventuras. Lo que sería mejor sería que volviéramos a nuestro pueblo, ahora que es tiempo de la siega, nos ocupáramos de la hacienda, y dejáramos de andar de Ceca en Meca."**
Marca (✓) lo que crees que sucederá en el próximo capítulo.

A ☐ Volverán al pueblo durante un tiempo.
B ☐ Continuarán yendo en busca de aventuras.
C ☐ Se quedarán una temporada en la venta.
D ☐ Sancho regresará solo.

Capítulo 3

De la rica ganancia del yelmo de Mambrino, y de lo que aconteció en Sierra Morena y el encuentro con la princesa Micomicona

Iban de nuevo de camino cuando comenzó a llover. Don Quijote y Sancho vieron venir a un hombre a caballo que traía en la cabeza algo que brillaba.

—Me parece, Sancho, que nos espera una nueva aventura, pues, si no me equivoco, hacia nosotros viene uno que trae en su cabeza puesto un yelmo* de oro.

—Lo que yo veo es a un hombre sobre un asno que trae sobre la cabeza una cosa que relumbra*.

—Pues ese es el yelmo de Mambrino que tanto he deseado.

El jinete era, en realidad, un barbero que iba a ejercer su oficio en un pueblo cercano, para lo cual traía una bacía* para remojar las barbas a sus clientes. Para protegerse de la lluvia, se la había puesto sobre la cabeza y, como estaba limpia, brillaba. Al ver aquel fantasma que se le echaba encima, huyó despavorido, dejando el recipiente en el suelo. Satisfecho de haber conquistado tan valiosa pieza, don Quijote se colocó la reluciente bacía a modo de yelmo.

▶ 5 Poco tiempo después vieron venir por el camino a doce hombres a pie, encadenados y con esposas*, bajo la custodia de cuatro guardianes armados.

un yelmo parte de la armadura que protege la cabeza y la cara
relumbrar despedir luz
una bacía recipiente cóncavo de gran diámetro y poca profundidad
unas esposas aros de metal unidos por una cadena para sujetar por las muñecas

—Esos son galeotes* —dijo Sancho Panza—, que por sus delitos van condenados a servir al rey en las galeras.

—¡Pero esta gente va por fuerza y no por su voluntad! ¡Mi deber es socorrer y ayudar a los miserables!

—Advierta vuestra merced que el rey los castiga por sus delitos.

Cuando se acercaron, don Quijote quiso saber el porqué* de su inhumana situación y preguntó a cada reo* de qué delito era culpable.

—De todo cuanto me habéis dicho, hermanos carísimos, —se indignó don Quijote tras haber escuchado sus historias— he sacado en limpio que, aunque os han castigado por vuestras culpas, las penas que vais a padecer no os dan mucho gusto y que vais a ellas muy contra vuestra voluntad, y que algunos son incluso víctimas de una injusticia. Quiero pues rogar a estos señores guardianes que os desaten y os dejen ir en paz, porque me parece duro hacer esclavos a quienes Dios y la naturaleza hizo libres.

—¡Qué majadería*! —respondió el comisario— ¡Cómo si tuviéramos autoridad para soltar a los forzados* del rey, o él la tuviera para mandárnoslo!

Don Quijote arremetió entonces contra él. En el tumulto los prisioneros, viendo la ocasión que se les ofrecía, se liberaron y los guardianes tuvieron que huir. Llamó luego a todos los galeotes y les dijo:

—De gente bien nacida es agradecer los beneficios que reciben. Es mi voluntad que vayáis a la ciudad del Toboso y allí os presentéis ante la señora Dulcinea y le contéis esta aventura que os ha permitido recobrar la deseada libertad.

—Lo que vuestra merced nos manda, señor y libertador nuestro, es imposible cumplirlo —respondió por todos Ginés de Pasamonte, uno de los galeotes—, porque no podemos ir juntos por los caminos, sino solos y divididos, para no ser hallados por la Santa Hermandad*, que sin duda alguna va a salir en nuestra busca.

un galeote persona condenada a remar en las galeras
el porqué razón, motivo
una/a reo/a prisionero
una majadería dicho o hecho necio
un forzado persona condenado a remar en las galeras
la Santa Hermandad grupo de gente armada que antiguamente perseguía a los delincuentes

—Pues tenéis que hacerlo, ¡ingrato hijo de puta! —dijo colérico don Quijote.

Pasamonte, viéndose tratar de aquella manera, guiñó el ojo a sus compañeros y comenzaron a llover piedras sobre don Quijote y Sancho. Cuando se hallaron de nuevo solos y viéndose tan malparado*, dijo don Quijote:

—Siempre, Sancho, lo he oído decir, que el hacer bien a villanos es echar agua en la mar. Si yo hubiera creído lo que me dijiste, me habría ahorrado esta pesadumbre*; pero ya está hecho: con esto voy a escarmentar* de aquí en adelante.

Motivado por el miedo, Sancho rogó a su amo que se escondieran unos días en el bosque, para que la Santa Hermandad no los hallara si los buscaba por haber ayudado a aquellos delincuentes a huir. Por una vez don Quijote le hizo caso y se adentraron en la Sierra Morena.

Mientras dormían, la suerte fatal hizo que Ginés de Pasamonte, que no era ni agradecido ni bienintencionado, y que se había escondido también en aquellas montañas, robara el asno a Sancho. Cuando este se despertó y no halló su asno, se sintió desesperado.

—Señor don Quijote, vuestra merced me eche su bendición y me dé permiso para volver a mi casa con mi mujer y mis hijos, que estoy harto de tantas aventuras o, mejor dicho, desventuras.

Don Quijote escuchaba apenas las razones de su escudero. Llegaron al pie de una alta montaña, un lugar apacible por el que corría un manso arroyuelo y había muchos árboles silvestres y algunas plantas y flores. Fue este sitio que el Caballero de la Triste Figura eligió para hacer una penitencia e imitar así al famoso caballero Amadís de Gaula:

—Este es el lugar, ¡oh cielos!, que escojo para llorar la desventura en que me habéis puesto. ¡Oh Dulcinea del Toboso, día de mi noche,

malparado/a muy perjudicado
la pesadumbre sentimiento de tristeza
escarmentar aprender de los errores pasados

gloria de mi pena, norte de mis caminos, estrella de mi ventura, a este lugar y a este estado tu ausencia me ha conducido! ¡Oh tú, escudero mío, agradable compañero en mis prósperos y adversos sucesos, acuérdate de lo que aquí me verás hacer, para poderlo contar! Aquí me quedaré hasta que vuelvas con la respuesta de una carta que le vas a llevar a mi señora Dulcinea.

Continuó el hidalgo hablando de su dama:

—Mis amores y los suyos han sido siempre platónicos. En gran recato* y encerramiento sus padres, Lorenzo Corchuelo y su madre Aldonza Nogales, la han criado.

—¿Cómo? —exclamó Sancho— ¿Aldonza Lorenzo es la señora Dulcinea del Toboso?

—Esa es —dijo don Quijote—, y es la que merece ser señora de todo el universo.

—Bien la conozco —dijo Sancho. Hasta aquí pensaba que la señora Dulcinea debía de ser alguna princesa de quien vuestra merced estaba enamorado, o alguien que mereciese los ricos presentes que vuestra merced le ha enviado.

Sancho empezó a aludir a su condición de labradora y a sus modales rústicos, y se enzarzó* en una pequeña pelea con su amo, quien continuó alabando a su dama.

A continuación don Quijote comenzó a escribir la carta y cuando terminó, llamó a su escudero y le pidió la aprendiese de memoria, por si acaso la perdía por el camino.

—Pensar que yo la he de aprender de memoria —respondió Sancho— es un disparate, que la tengo tan mala que muchas veces se me olvida cómo me llamo. Pero, con todo eso, léamela vuestra merced, que será un placer oírla.

el recato pudor, modestia

enzarzarse en algo comenzar algo

Tras esto, Sancho pidió la bendición a su señor y con muchas lágrimas se despidieron. Y, subiendo sobre Rocinante, pues le habían robado su asno, se puso en camino hacia el Toboso. En esto llegó a la venta donde le había sucedido el percance* de la manta y vio salir de allí al cura y al barbero, quienes lo reconocieron.

—Amigo Sancho Panza —le dijo el cura—, ¿dónde está vuestro amo?

Sancho les contó las aventuras que les habían sucedido, que don Quijote se había quedado haciendo penitencia en las montañas y que llevaba una carta a la señora Dulcinea del Toboso.

—Es hora de comer —dijo el cura—, entremos en esta venta.

Sancho dijo que entrasen ellos, que él esperaría allí fuera, pero que le llevaran algo de comer.

▶ 6 El cura y el barbero idearon un plan para sacar a su amigo de su situación: se disfrazarían y uno de ellos fingiría ser una doncella afligida y menesterosa*, y le pediría ayuda, sabiendo que don Quijote no se negaría a ayudarla como caballero andante que era. Le pensaba pedir que la acompañase, y de esta manera lo sacarían de allí y lo llevarían a su pueblo, donde procurarían encontrar algún remedio a su extraña locura.

Dispuestos a poner en práctica esta artimaña*, volvieron al lugar donde Sancho había dejado a su amo. Una vez el cura y el barbero le hubieron dicho lo que tenía que decir y hacer, Sancho fue solo a buscarlo para decirle que su señora Dulcinea requería su presencia ante ella, esperando que aquello fuese suficiente para hacerle abandonar su vana penitencia y sacarle de aquel lugar.

Mientras estaban esperando a Sancho, conocieron a Cardenio y Dorotea, dos viajeros perdidos en Sierra Morena que les contaron cada uno su historia. Sancho volvió poco tiempo después con nuevas de su amo:

—Lo he hallado casi desnudo en camisa, flaco, amarillo y muerto

un percance accidente o suceso inesperado
menesteroso/a necesitado/a de algo
una artimaña plan preparado con astucia

de hambre, y suspirando por su señora Dulcinea; y cuando le he dicho que ella le mandaba que se presentara ante ella en el Toboso, ha respondido que no lo haría antes de haber realizado alguna nueva hazaña* y haberse convertido en un caballero digno de su amada.

Al ver a Dorotea, Sancho preguntó quién era y qué quería.

—Esta hermosa señora —respondió el cura—, es la princesa Micomicona, heredera del gran reino de Micomicón, la cual viene en busca de vuestro amo, cuya fama se ha extendido en el mundo entero, a pedirle que le deshaga el agravio que un mal gigante le ha hecho.

—Dichosa búsqueda y dichoso hallazgo* —dijo el crédulo* Sancho Panza—, y más si mi amo es tan venturoso que mata a ese hijo de puta de gigante que vuestra merced dice.

Se quedó el cura admirado de la simplicidad de Sancho y de ver hasta qué punto tenía arraigados en la fantasía los mismos disparates que su amo.

Dorotea estaba al corriente de lo que sucedía, y se propuso para hacer la doncella menesterosa. Como había leído también muchos libros de caballerías, conocía bien el estilo que tenían las doncellas desventuradas cuando pedían sus dones a los caballeros andantes. Dorotea montó en una mula y Sancho los guió adonde su amo estaba. Lo descubrieron entre unas peñas, ya vestido, aunque no armado. La joven se acercó y se hincó de rodillas* ante él, hablándole de esta guisa:

—¡De aquí no me levantaré, oh valeroso y esforzado* caballero, hasta que no me otorgue un don!

—Yo os lo otorgo y concedo —respondió don Quijote.

—Pido que vuestra magnánima persona me dé venganza de un traidor que, contra todo derecho divino y humano, me tiene usurpado mi reino.

Don Quijote consintió ofrecerle ayuda y todos se pusieron en camino. ■

una hazaña hecho heroico o ilustre
un hallazgo encuentro de lo que se busca
crédulo/a que cree algo con mucha facilidad
hincarse de rodillas ponerse de rodillas en el suelo
esforzado/a valiente, de gran espíritu y corazón

—Mi buen padre —continuó contando la doncella— profetizó que si el caballero que me socorra, después de haber degollado al gigante, quiere casarse conmigo, que yo me entregue sin réplica alguna como su legítima esposa y le dé la posesión de mi reino junto con la de mi persona.

Sancho veía ya a su señor casándose con la princesa y se figuraba que a él lo iba a nombrar gobernador de algún reino, cuando vio venir a lo lejos a un hombre sobre un asno. Cuando llegó cerca, Sancho reconoció a Ginés de Pasamonte montado en su asno, y a grandes voces le dijo:

—¡Ah, ladrón! ¡Deja mi asno!

Apenas hubo oído aquello, Ginés huyó y Sancho pudo así recuperar su montura*.

—Dime ahora —pidió entonces don Quijote a su escudero: ¿Dónde, cómo y cuándo hallaste a Dulcinea? ¿Qué hacía? ¿Qué le dijiste? ¿Qué te respondió? ¿Qué rostro hizo cuando leía mi carta? ¿Qué te preguntó de mí? Y tú ¿qué le respondiste? Cuéntamelo todo.

—Cuando su señora conoció el contenido de la carta —mintió Sancho— y supo acerca del amor que vuestra merced le tiene y de la penitencia extraordinaria que por su causa había quedado haciendo, me pidió que le suplicara y mandara que se pusiese en camino del Toboso sin perder tiempo.

—¿Qué debo yo hacer ahora? Porque si bien estoy obligado a cumplir su orden, me veo también imposibilitado por la promesa que he hecho a la princesa que con nosotros viene, y la ley de caballería me fuerza a cumplir mi palabra antes que mi placer. Por una parte, me acosa* y fatiga el deseo de ver a mi señora; por otra, me incita y llama la prometida fe y la gloria que he de alcanzar en esta empresa*.

una montura animal sobre el que se cabalga
acosar perseguir sin descanso
una empresa acción o tarea difícil

Comprensión lectora

1 Elige la respuesta más adecuada.

1 ¿Cómo llegó a poseer don Quijote el supuesto yelmo de Mambrino?
A ☐ El barbero se lo regaló.
B ☐ Se lo robó al barbero.
C ☐ Se lo compró al barbero.
D ☐ El barbero lo perdió cuando huyó.

2 ¿Qué piensan hacer los galeotes una vez liberados?
A ☐ Ir al Toboso a ver a Dulcinea, tal como don Quijote les ha pedido.
B ☐ Huir cada uno por su lado.
C ☐ Esperar a que venga la Santa Hermandad.
D ☐ Acompañar a don Quijote y Sancho.

3 ¿Quién robó el asno de Sancho?
A ☐ un galeote
B ☐ Dorotea
C ☐ el barbero
D ☐ el cura

4 Don Quijote decide imitar, como buen caballero andante, a Amadís de Gaula y:
A ☐ recoger flores y plantas.
B ☐ hacer una penitencia.
C ☐ descansar en un lugar tranquilo.
D ☐ leer un buen libro de caballerías.

5 Sancho descubre con sorpresa que Dulcinea es:
A ☐ una rica princesa.
B ☐ la hija de Amadís de Gaula.
C ☐ la hermana de Ginés de Pasamonte.
D ☐ una labradora.

6 ¿Quién es en realidad la princesa Micomicona?
A ☐ Maritornes
B ☐ el cura disfrazado
C ☐ el barbero disfrazado
D ☐ una viajera perdida en la Sierra Morena

Vocabulario

2 Pon en orden las letras para obtener las distintas palabras que corresponden a una parte del cuerpo y conocer así la descripción que el propio don Quijote hace de su dama.

Dulcinea es reina y señora mía; su hermosura, sobrehumana. Sus **(1) baselcol** son oro, su **(2) nreetf** campos elíseos, sus **(3) jesac** arcos del cielo, sus **(4) joso** soles, sus **(5) islejaml** rosas, sus **(6) siablo** corales, perlas sus **(7) nisteed**, alabastro su **(8) elculo**, mármol su **(9) hopec**, marfil sus **(10) nomas**, su blancura nieve, y las partes que a la vista humana encubrió la honestidad son tales, según yo pienso y entiendo, que solo la discreta consideración puede encarecerlas, y no compararlas.

3 Los homófonos son palabras de distinto significado que suenan igual. Elige el término adecuado para completar las frases siguientes.

1 ☐ La bacía | vacía del barbero estaba bacía | vacía.
2 ☐ El aya | haya y la sobrina descansaban bajo un aya | haya.
3 ☐ Don Quijote dejaba errar | herrar su imaginación.
4 ☐ Tuvo que errar | herrar su caballo.
5 ☐ Los pastores tiraron piedras a don Quijote con sus ondas | hondas.
6 ☐ El viento producía ondas | hondas en la superficie del lago.
7 ☐ Don Quijote ojeaba | hojeaba lentamente un libro de caballerías.
8 ☐ Sancho ojeó | hojeó a un hombre que se acercaba.
9 ☐ Los dos hombres tomaron un atajo | hatajo para llegar antes.
10 ☐ Se cruzaron con un atajo | hatajo de galeotes.
11 ☐ Don Quijote creía que hablaba con un duque o un barón | varón.
12 ☐ Sancho no tiene ningún hijo barón | varón.
13 ☐ El caballero salió al azar | azahar, sin rumbo preestablecido.
14 ☐ La piel de Dulcinea huele a azar | azahar.
15 ☐ Don Quijote dedicó a Dulcinea su más bello | vello poema de amor.
16 ☐ El hidalgo tenía las piernas cubiertas de bello | vello.

4 Muchas son las actividades de Dulcinea. En la lista que siguen, indica aquellas que no correspondan a una gran dama como ella.

A ☐ Mora en palacios y estancias fastuosas.
B ☐ Viste y se adorna con ricas joyas.
C ☐ Se pasea por los jardines.
D ☐ Labra y siega.
E ☐ Borda tejidos con hilos de oro.
F ☐ Se deleita escuchando música y poesías.
G ☐ Da de comer al ganado.
H ☐ Ensarta perlas.

Gramática

5 Conjuga en pretérito indefinido o en imperfecto el verbo entre paréntesis.

1 ☐ El barbero (llevar) _____ en la cabeza algo que (brillar) _____.
2 ☐ Don Quijote (ayudar) _____ a los galeotes a recobrar la libertad, pero luego los ingratos (negarse) _____ a presentarse ante Dulcinea.
3 ☐ Don Quijote y Sancho (esconderse) _____ de la Santa Hermandad en el bosque.
4 ☐ Don Quijote (quedarse) _____ al pie de una montaña para hacer una penitencia.
5 ☐ Mientras don Quijote y Sancho (dormir) _____ en la Sierra Morena, Ginés de Pasamonte (robar) _____ el asno de Sancho.
6 ☐ Cuando Sancho (despertarse) _____ y no (hallar) _____ su asno, (sentirse) _____ desesperado.
7 ☐ Como Sancho (estar) _____ harto de todas aquellas aventuras, (querer) _____ regresar a su casa.
8 ☐ Sancho (despedirse) _____ de su señor y (ponerse) _____ en camino hacia el Toboso porque (llevar) _____ una carta a la señora Dulcinea.
9 ☐ El cura y el barbero (querer) _____ disfrazarse de mujer para engañar a su amigo.
10 ☐ Dorotea (proponer) _____ hacer el papel de doncella menesterosa.
11 ☐ Don Quijote (consentir) _____ ofrecer ayuda a la princesa Micomicona y todos (ponerse) _____ en camino.

Expresión escrita

6 Don Quijote ha escrito una carta a la sin par Dulcinea para que Sancho se la lleve.

Imagina lo que nuestro caballero pudo contarle en ella y escríbelo.

____

____

____

____

____

____

____

____

Expresión oral

7 Don Quijote pide a cada uno de los galeotes que le cuente el motivo por el que lo lleva preso.

Inventa la historia de uno de estos condenados.

ANTES DE LEER

¡Tienes la palabra!

8 Al final del capítulo don Quijote se encuentra ante un dilema: ir a ver a su señora Dulcinea tal como esta se lo pide o bien socorrer a la princesa Micomicona.
Marca (✓) lo que crees que hará.

A ☐ Obedecerá a su señora Dulcinea e irá al Toboso inmediatamente.
B ☐ Cumplirá con su deber de caballero y ayudará a la princesa.
C ☐ El barbero y el cura lo llevarán forzado de vuelta a su casa.
D ☐ La Santa Hermandad lo capturará y lo meterá en prisión.

Capítulo 4

Que trata de los raros sucesos que en la venta le sucedieron, del extraño modo en que fue encantado don Quijote de la Mancha y de otras famosas aventuras

▶ 7 Para acudir en ayuda de la princesa, ensillaron y llegaron otro día a la venta donde ya habían tenido alguna aventura con anterioridad. Aunque Sancho no quería entrar en ella, no la pudo huir. El ventero y todos los que en la venta vivían salieron a recibir al cortejo con muestras de mucha alegría, pues estaban al corriente de la locura del hidalgo. Don Quijote se acostó inmediatamente, porque venía muy quebrantado* y falto de juicio.

Cenaron bien los demás y todos los hospedados estaban conversando tranquilamente cuando de pronto apareció Sancho por la puerta todo alborotado:

—Acudid, señores, rápido, y socorred a mi señor, que anda envuelto en la más reñida* batalla que mis ojos han visto. ¡Vive Dios que ha dado una cuchillada al gigante enemigo de la señora princesa Micomicona y le ha cortado la cabeza como si fuera un nabo!

En esto oyeron un gran ruido en el aposento y a don Quijote que decía a voces:

—¡Tente, ladrón, malandrín, que aquí te tengo y no te ha de valer tu cimitarra*!

—Sin duda alguna el gigante está ya muerto —dijo Sancho—, que

quebrantado/a muy dolorido/a
reñido/a con mucha rivalidad
una cimitarra arma semejante a un sable

yo vi correr la sangre por el suelo, y la cabeza cortada y caída a un lado.

Y con esto entró en el aposento y todos tras él, y hallaron a don Quijote en camisa, y vieron que tenía las piernas muy largas y flacas, llenas de vello y no muy limpias, y en la mano derecha sostenía una espada. No tenía los ojos abiertos, porque estaba durmiendo y soñando que estaba en batalla con el gigante; y había dado tantas cuchilladas en los odres* llenos de vino tinto que a su cabecera estaban, creyendo que las daba en el gigante, que todo el aposento estaba lleno de vino.

Al ver esto el ventero se enojó tanto que arremetió contra don Quijote y le comenzó a dar tantos golpes que Cardenio y el cura tuvieron que separarlos. No despertó el pobre caballero hasta que el barbero le echó agua fría encima.

Sancho creía la historia de su amo y andaba buscando la cabeza del gigante por el suelo.

Don Quijote, creyendo que el cura era la princesa Micomicona, se puso de rodillas ante él, y le dijo que ya había acabado la aventura y que ahora podía sentirse en seguridad.

—¿No lo dije yo? —dijo oyendo esto Sancho, convencido de la veracidad de la historia.

Todos reían con los disparates del amo y del mozo, todos menos el ventero, desesperado de ver su buen vino derramado por el suelo. Llevaron a don Quijote a la cama y se quedó dormido. El cura apaciguó los ánimos y prometió al ventero pagarle todos los daños que don Quijote había causado.

Aquella noche llegaron a la venta nuevos viajeros, cada uno con una extraordinaria historia que contar. A su vez el cura relató a los nuevos huéspedes las locuras de don Quijote, y no poco se admiraron y rieron, por parecerles ser aquel el más extraño género de locura.

un odre recipiente hecho con piel del animal que sirve para contener líquidos

Quiso la mala suerte que al día siguiente apareciera también por allí el barbero a quien don Quijote había arrebatado el yelmo de Mambrino:

—¡Ah, ladrones, aquí os tengo! ¡Devolvedme la bacía que me robasteis!

Todos los de la venta acudieron al ruido.

—Mentís —respondió Sancho—, que en buena guerra ganó mi señor don Quijote este botín.

—¡Aquí del rey y de la justicia, señores, que esta bacía es mía! —prosiguió el barbero.

Aquí no se pudo contener don Quijote:

—¡Porque vean vuestras mercedes clara y manifiestamente el error en que está este buen escudero, pues llama bacía a lo que fue, es y será yelmo de Mambrino, del cual me hice señor con legítima y lícita posesión!

—¿Qué les parece a vuestras mercedes —dijo el barbero dirigiéndose a la asistencia— lo que afirman estos gentiles hombres?

Nuestro barbero, para que todos riesen, tomó la palabra:

—Señor, yo también soy de vuestro oficio, y digo que esta pieza no es una bacía de barbero sino que es un yelmo.

Lo que confirmaron las otras personas presentes, siguiendo la broma. Así continuó un buen rato, hasta que finalmente, el cura, sin que don Quijote se diese cuenta, le dio al barbero ocho reales por la famosa bacía.

Habían presenciado también esta escena unos viajeros que habían llegado al alba, y que no eran ni más ni menos que cuatro caballeros de la Santa Hermandad. A uno de ellos le vino a la memoria que traían un mandamiento para prender* a don Quijote por haber liberado a los galeotes.

Viéndose acusado, el hidalgo se puso en cólera y se abalanzó sobre el cuadrillero* para estrangularlo. Sus amigos los separaron, mas don Quijote comenzó a insultar al caballero ya que se veía apresado por haber únicamente cumplido los códigos de la caballería:

prender capturar

un cuadrillero miembro de una cuadrilla de la Santa Hermandad

—¡Venid acá, gente infame! ¿Me prendéis por haber dado libertad a los encadenados, protegido a los miserables y ayudado a los menesterosos?

En tanto que nuestro hidalgo decía esto, el cura estaba persuadiendo a los cuadrilleros de que a don Quijote le faltaba el juicio, tal como lo veían por sus obras y sus palabras, por lo que aceptaron no llevárselo preso.

Tras dos días en aquella venta, era ya tiempo de irse. El cura y el barbero se concertaron con un carretero de bueyes que pasó por allí para llevarlo engañado a su pueblo. Fabricaron una jaula con palos, se cubrieron los rostros, se disfrazaron y entraron en la habitación mientras don Quijote estaba durmiendo, y le ataron las manos y los pies, de modo que cuando despertó no podía moverse. Una voz fantasmal le dijo que aquel era el mejor modo de cumplir la misión de la princesa Micomicona y llegar a su lugar de destino; con todo, sorprendió al Caballero de la Triste Figura verse de aquella manera enjaulado* y encima del carro:

—Muchas y muy graves historias he yo leído de caballeros andantes, pero jamás he leído, ni visto, ni oído que a los caballeros encantados los lleven de esta manera, porque siempre los suelen transportar por los aires, encerrados en alguna nube o en algún carro de fuego. Pero que me lleven sobre un carro de bueyes, ¡vive Dios que me causa confusión! Pero quizá la caballería y los encantos de nuestra época deben de seguir otro camino del que siguieron los antiguos.

El cura y el barbero se despidieron del ventero y de los demás viajeros, especialmente de Dorotea.

Durante el trayecto de vuelta al pueblo, encontraron a otros viajeros a quienes, viendo aquella extraña procesión y a don Quijote en la jaula, fue necesario explicar quién era el hidalgo y cuál era su locura.

enjaulado/a metido/a en una jaula

Durante un alto en el camino, el escudero rogó al cura que permitiese que su señor saliese un rato de la jaula, porque si no lo dejaban salir, no iría tan limpia aquella prisión como exigía la decencia de un tal caballero como su amo.

—De muy buena gana lo haría —dijo el cura—, mas temo que al verse su señor en libertad haga de las suyas*.

—Yo respondo por él* —exclamó Sancho.

Acabaron sacándolo de la jaula, de lo que el caballero se alegró mucho.

Al poco encontraron a un grupo de personas en procesión que se dirigían a una ermita cercana para pedir a Dios que lloviera. Don Quijote, viendo los extraños trajes de los diciplinantes*, creyó que se le presentaba una nueva aventura. Traían una imagen cubierta con un paño negro, e imaginó que se trataba de alguna principal señora a quien llevaban por fuerza. Subió sobre Rocinante, cogió su lanza y dijo en voz alta a todos los presentes:

—¡Dejad en libertad a aquella buena señora que allí va cautiva!

—Señor don Quijote —dijo Sancho—, esto es una procesión de penitentes y aquella señora que llevan es la imagen bendita de la Virgen.

Su amo no oyó palabra, y gritó a los penitentes:

—Dejad inmediatamente libre a esa hermosa señora, cuyas lágrimas y triste semblante* dan claras muestras de que la lleváis contra su voluntad.

Comprendieron todos los que lo oyeron que don Quijote debía de ser un loco y se pusieron a reír, provocando así la cólera de don Quijote quien, sin decir más palabra, sacó la espada y arremetió contra ellos. Durante la refriega*, uno de los penitentes le dio tal golpe en el hombro, que el pobre caballero cayó al suelo muy malparado.

Llegaron todos los de la compañía de don Quijote y los de la

hacer alguien de las suyas actuar según su costumbre
responder por alguien hacerse responsable del comportamiento de alguien
el/a diciplinante persona que se azota públicamente en una procesión
el semblante cara
una refriega combate poco importante

procesión, y las cosas se calmaron cuando explicó nuestro cura al otro cura quién era don Quijote. Mas Sancho Panza, creyéndolo muerto, se arrojó sobre el cuerpo de su señor:

—¡Oh flor de la caballería, que con solo un garrotazo* acabaste la carrera de tus tan bien gastados años! ¡Oh honra de tu linaje, honor y gloria de toda la Mancha, y aun de todo el mundo, el cual, faltando tú en él, quedará lleno de malhechores sin temor de ser castigados de sus malas fechorías*!

Con las voces y gemidos de Sancho revivió don Quijote, y las primeras palabras que dijo fue:

—El que de vos vive ausente, dulcísima Dulcinea, a mayores miserias que estas está sujeto. Ayúdame, Sancho amigo, a ponerme sobre el carro encantado, que ya no estoy para montar a Rocinante, porque tengo el hombro hecho pedazos.

—Volvamos a mi aldea, señor mío, en compañía de estos señores que su bien desean, y allí daremos orden de hacer otra salida que nos sea de más provecho y fama.

La procesión volvió a ordenarse y cada uno continuó su viaje.

▶ 8 Al cabo de seis días llegaron a la aldea de don Quijote. Como era domingo al mediodía, toda la gente estaba en la plaza. Acudieron todos a ver lo que en el carro venía y, al reconocer a su vecino, quedaron maravillados. Un muchacho acudió corriendo a dar las nuevas a su ama y su sobrina. Cosa de lástima fue oír los gritos que las dos buenas señoras alzaron, y las maldiciones que de nuevo echaron a los malditos libros de caballerías, cuando vieron entrar a don Quijote por sus puertas.

A las nuevas de esta venida de don Quijote acudió también la mujer de Sancho Panza, que ya había sabido que su marido se había ido con él sirviéndole de escudero, y le preguntó dónde había estado y qué había hecho.

un garrotazo golpe dado con un palo grueso y fuerte

una fechoría mala acción, delito

—Estad contenta —dijo Panza—, que cuando salgamos de nuevo en viaje a buscar aventuras, vos me veréis pronto conde o gobernador de una isla.

—Lo quiera así el cielo, marido mío, mas decidme qué es eso de islas, que no lo entiendo.

—A su tiempo lo verás, mujer, y aun te sorprenderás de que todos tus vasallos te llamen señoría.

—¿Qué es lo que decís, Sancho, de señorías, islas y vasallos?

—No pienses más en ello. Te estoy diciendo la verdad, mas guarda el secreto…

Entre tanto, el ama y la sobrina de don Quijote lo recibieron, lo desnudaron y lo tendieron en su antiguo lecho. No acababa de comprender dónde estaba ni lo que había pasado, y seguía creyendo que era por culpa de encantadores o enemigos suyos que se hallaba en aquel estado miserable. El cura encargó a la sobrina que se ocupara de su tío y que tuviera cuidado de que no se les escapase otra vez, pues temía que fuera a buscar nuevas aventura cuando se hubiera recuperado.

El autor de esta historia, con curiosidad y diligencia* ha buscado los hechos que don Quijote hizo en su tercera salida, mas no ha podido hallar noticia de ellos, a lo menos en escritos auténticos. El fidedigno* autor de esta nueva y jamás vista historia solo pide a los que la lean, en premio del inmenso trabajo que le costó inquirir y buscar todos los archivos manchegos por sacarla a luz, que le den el mismo crédito que suelen dar los discretos a los libros de caballerías, que tan validos andan en el mundo, que con esto se tendrá por bien pagado y satisfecho y se animará a sacar y buscar otras, si no tan verdaderas, por lo menos de tanta invención y pasatiempo.

Forse altro canterà con miglior plectro.

la diligencia cuidado con que se hace algo

fidedigno/a digno/a de ser creído

Comprensión lectora

1 Di si las siguientes afirmaciones son verdaderas (V) o falsas (F).

		V	F
1	Durante el sueño, don Quijote destroza recipientes llenos de vino tinto.	☐	☐
2	Don Quijote piensa haber matado al gigante que amenazaba a la princesa Micomicona.	☐	☐
3	El ventero se alegra mucho cuando ve todo el vino por el suelo.	☐	☐
4	Varias personas de la venta afirman que lo que el barbero considera una bacía es en realidad un yelmo.	☐	☐
5	El cura compra la bacía al barbero.	☐	☐
6	El hidalgo enfadado quiere apuñalar a un caballero de la Santa Hermandad.	☐	☐
7	El cura y el barbero entregan a don Quijote a la Santa Hermandad.	☐	☐
8	Por el camino encuentran una procesión que tiene como fin pedir a Dios que haga buen tiempo.	☐	☐
9	Don Quijote regresa a su pueblo montado en una lujosa carroza.	☐	☐
10	Cuando por fin llegan al pueblo, las calles están vacías.	☐	☐
11	La mujer de Sancho quiere saber si ha obtenido la isla prometida.	☐	☐
12	El cura piensa que don Quijote está escarmentado y que no querrá más salir a buscar aventuras.	☐	☐

2 ¿Por qué Sancho busca la cabeza del gigante por el suelo?

A ☐ Sancho finge buscar la cabeza del gigante pero lo que busca en realidad es el yelmo de Mambrino.

B ☐ Sancho finge buscar la cabeza del gigante para no contrariar a su amo.

C ☐ Sancho intenta distraer a los presentes, sobre todo al ventero, para que no se dé cuenta de los destrozos causados.

D ☐ Sancho está realmente convencido de que su señor ha matado a un gigante.

Gramática

3 En este capítulo Sancho empieza a contagiarse de la imaginación de su señor. Así en cuanto llega al pueblo lo primero que hace cuando ve a su mujer es hablarle de la isla que su amo le ha prometido. Completa el siguiente texto poniendo en futuro los verbos entre paréntesis.

Un día no muy lejano, las promesas de mi señor (hacerse) (1) __________ realidad. Él y yo (salir) (2) __________ a buscar nuevas aventuras, y yo (poder) (3) __________ por fin ser conde o gobernador de una isla. Tú y yo (ir) (4) __________ a vivir en ella y (instalarse) (5) __________ en un palacio. Nuestros vasallos (venir) (6) __________ a recibirnos a nuestra llegada y te (llamar) (7) __________ señoría, a lo que (tener) (8) __________ que acostumbrarte. (Hacer – yo) (9) __________ todo lo posible para ser un buen gobernante: (impartir) (10) __________ justicia con equidad, (promulgar) (11) __________ leyes justas, y no (haber) (12) __________ pobreza en mis tierras. Y las generaciones futuras me (recordar) (13) __________ y (levantar) (14) __________ una estatua en mi honor...

Vocabulario

4 Busca en el capítulo que acabas de leer un sinónimo correspondiente a las siguientes palabras (una letra por guion).

1 pueblo _ l _ _ _
2 noticias _ _ _ v _ _
3 momento r _ _ _
4 cara _ _ s _ _ _
5 cama _ _ c _ _
6 habitación _ p _ _ _ _ _ _
7 calmar _ _ _ _ _ g _ _ _
8 distracción p _ _ _ _ _ _ _ _ _

5 **Tras haber leído todas estas aventuras de nuestro hidalgo y de su escudero, ¿podrías señalar los rasgos de carácter que corresponden a cada uno?**

materialista • loco • noble • realista • soñador idealista • rústico • fiel • altruista • ambicioso

Don Quijote	**Sancho**
__________	__________
__________	__________
__________	__________
__________	__________
__________	__________

Comprensión auditiva

▶ 8 **6** **Escucha de nuevo la pista 8 y corrige los errores que se han deslizado en el texto.**

Al cabo de ocho días llegaron a la aldea de don Quijote. Como era sábado a la medianoche, toda la gente estaba en su casa. Acudieron todos a ver lo que en la carroza venía y, al reconocer a su amigo quedaron maravillados. Un hombre acudió corriendo a dar las nuevas a su ama y su sobrina. Cosa de lástima fue oír las risas que las dos buenas señoras alzaron, y las maldiciones que de nuevo echaron a los malditos libros de historia, cuando vieron salir a don Quijote por sus puertas.

Expresión oral

7 **En español hay un refrán que dice "segundas partes nunca fueron buenas", y que se aplica muy frecuentemente a obras artísticas.**
¿A qué crees que se puede referir?
¿Qué relación puede tener con el Quijote?

Expresión escrita

8 **Haz una breve lista con cosas que don Quijote ha dicho o hecho y que justifiquen el que la gente lo considere loco.**

- ______________________________
- ______________________________
- ______________________________
- ______________________________
- ______________________________
- ______________________________
- ______________________________

ANTES DE LEER

¡Tienes la palabra!

9 **Después de ver a su amo casi muerto, Sancho le dice: "Volvamos a la aldea, señor mío, en compañía de estos señores que su bien desean, y allí daremos orden de hacer otra salida que nos sea de más provecho y fama." ¿Qué crees que pasará?**

A ☐ Habrá una tercera salida muy poco tiempo después.
B ☐ Habrá una tercera salida pero algunos años después.
C ☐ Habrá una tercera salida pero esta vez don Quijote se irá solo.
D ☐ Don Quijote y Sancho nunca volverán a salir de su aldea.

10 **Cervantes termina su primer libro con el verso de Ariosto que procede del "Orlando Furioso" con el que invita a otros escritores que continúen su obra: *"Forse altro canterà con miglior plectro"* ("Quizás otro cantará con mejor plectro" – el plectro es una púa o varilla que se utilizaban para pulsar las cuerdas de determinados instrumentos musicales). ¿Piensas que algún autor en aquella época aceptó el desafío?**

Capítulo 5

Donde se cuenta lo que le sucedió a don Quijote yendo a ver su señora Dulcinea y otros sucesos tan ridículos como verdaderos

9 El cura y el barbero estuvieron casi un mes sin verle, para no traerle a la memoria las cosas pasadas, aunque seguían al corriente de sus progresos gracias a la sobrina y al ama, quienes afirmaban que don Quijote daba muestras de recobrar el juicio. Así, decidieron visitarlo y comprobar su mejoría, aunque acordaron no hablarle de la caballería. Lo hallaron sentado en la cama, tan seco y amojamado* que parecía una momia. Fueron muy bien recibidos, conversaron sobre muy diversas cosas y, habló don Quijote con tanto tino* en todos los temas que se tocaron, que los dos creyeron que estaba del todo cuerdo*. Mas el cura, para ver si la curación de don Quijote era verdadera o falsa, vino a contar algunas nuevas venidas de la Corte, y, entre otras, dijo que se tenía por cierto que el Turco* bajaba con una poderosa armada para atacar al rey. Don Quijote volvió entonces a desvariar de nuevo sobre la caballería.

—¡Ay! —dijo a este punto la sobrina, que estaba también allí presente con el ama— ¡Que me maten si no quiere mi señor volver a ser caballero andante!

—¡Caballero andante he de morir! —replicó don Quijote.

Por la manera como hablaba el hidalgo, comprendieron todos que tenía en mente* una nueva salida.

amojamado/a con las carnes secas
el tino destreza para dar con la solución más adecuada
cuerdo/a que está en su sano juicio
el Turco referencia al Imperio Turco Otomano, que alcanzó su máximo esplendor entre los siglos XVI y XVII, y se expandía por tres continentes
tener algo en mente tener intención de realizar algo

Las mujeres, que habían salido, empezaron a dar grandes voces en el patio, y acudieron todos al ruido. Los gritos los daba Sancho Panza, que quería ver a don Quijote, pero como el ama y la sobrina le negaban la entrada, él insistía en verlo alegando que había una deuda pendiente entre ellos: la isla que le había prometido su amo.

—Idos a vuestra casa —le dijo el ama—, que sois vos el que incita a mi señor y lo lleva por esos andurriales*. ¡No entraréis acá, id a gobernar vuestra casa y dejaos de pretender islas!

Don Quijote ordenó que lo dejasen entrar, y el cura y el barbero se despidieron.

—Vos veréis, compadre —dijo el cura al barbero cuando se encontraron solos—, que cuando menos lo pensemos, nuestro hidalgo se escapará de nuevo.

—No pongo yo duda en eso, pero no me maravillo tanto de la locura del caballero como de la simplicidad del escudero, que tan creído tiene aquello de la isla, que creo que no se lo sacarán de la cabeza cuantos desengaños* pueden imaginarse.

—Tal caballero, tal escudero —replicó el cura—, que parece que los forjaron* a los dos en una misma turquesa.

Ya solos, Sancho contó a su amo lo que de él y de él mismo se decía:

—El vulgo* tiene a vuestra merced por un grandísimo loco, y a mí por no menos mentecato*. En lo que toca a la valentía, cortesía, hazañas y asuntos de vuestra merced, hay diferentes opiniones. Unos dicen "loco, pero gracioso"; otros, "valiente, pero desgraciado"; y por aquí van discurriendo en tantas cosas, que ni a vuestra merced ni a mí nos dejan hueso sano.

—Mira, Sancho, dondequiera que está la virtud en eminente grado, es perseguida.

por esos andurriales lejos
un desengaño pérdida de confianza o fe
forjar trabajar metales en caliente
el vulgo personas del pueblo llano
un/a mentecato/a tonto/a

Y prosiguió Sancho:

—Anoche llegó el bachiller Sansón, que viene de estudiar de Salamanca, y me dijo que andaba ya en libros la historia de vuestra merced, con el nombre de "El Ingenioso Hidalgo don Quijote de la Mancha"; y dice que me mientan* a mí en ella con mi mismo nombre de Sancho Panza, y a la señora Dulcinea del Toboso, con otras cosas que pasamos nosotros a solas, que me hice cruces* espantado de cómo las pudo saber el historiador que las escribió.

—Yo te aseguro, Sancho, que el autor de nuestra historia debe de ser algún sabio encantador.

Don Quijote mandó a Sancho en busca del bachiller Carrasco, de quien esperaba oír las nuevas de sí mismo puestas en libro. Lo que más le preocupaba era que el autor no hubiera contado su historia con exactitud.

Cuando Sansón Carrasco llegó, se arrodilló ante don Quijote como si de un gran caballero se tratara, y comenzó a elogiar las aventuras que había leído en ese libro:

—Deme vuestra grandeza las manos, señor don Quijote de la Mancha, que es vuestra merced uno de los más famosos caballeros andantes que ha habido y habrá en toda la tierra. Alabado sea Cide Hamete Benengeli, que la historia de vuestras grandezas dejó escrita. Este autor ha tenido cuidado de pintarnos muy al vivo la gallardía* de vuestra merced, el ánimo grande en acometer los peligros, la paciencia en las adversidades y el sufrimiento así en las desgracias como en las heridas, la honestidad y continencia* en los amores tan platónicos de vuestra merced y de mi señora doña Dulcinea del Toboso.

—Y dígame vuestra merced, señor bachiller —respondió don Quijote—, ¿qué hazañas mías son las que más se ponderan* en esa historia?

mentar mencionar
hacerse cruces mostrar extrañeza o admiración
la gallardía valentía
la continencia moderación de las pasiones o sentimientos
ponderar resaltar, poner de relieve

—En eso hay diferentes opiniones: unos se inclinan por la aventura de los molinos de viento, que a vuestra merced le parecieron gigantes; este, a la descripción de los dos ejércitos, que después resultaron ser dos rebaños de ovejas; otro dice que ninguna iguala a la de la pendencia* del valeroso vizcaíno…

Supo así pues nuestro caballero que su fama había traspasado las fronteras y que sus aventuras las leían ahora personas por todo el mundo.

Acordaron entonces que saldrían de allí a ocho días, aunque decidieron guardarlo secreto.

Al llegar Sancho a su casa, su mujer le preguntó:

—¿Qué pasa, Sancho amigo, que tan alegre venís?

—Mirad, Teresa, estoy contento porque tengo determinado volver a servir a mi amo don Quijote, el cual quiere salir por tercera vez a buscar aventuras. Y yo os digo, mujer, que dentro de poco tiempo me veréis gobernador de una isla.

Mientras, la sobrina y el ama, que por mil señales iban deduciendo que su tío y señor quería escaparse de nuevo y volver al ejercicio de la caballería, procuraban por todos los medios posibles apartarlo de tan mal pensamiento, pero era predicar en el desierto*.

El bachiller animaba a don Quijote a proseguir con su aventura, hasta tal punto que se ofreció incluso para ser su escudero. El propósito que tenía Sansón para persuadirlo de que saliese otra vez era hacer lo que más adelante cuenta la historia, todo por consejo del cura y del barbero, con quien él antes lo había comunicado.

Hicieron los preparativos del viaje; y habiendo aplacado Sancho a su mujer, y don Quijote a su sobrina y su ama, al anochecer, sin que nadie los viese, salvo el bachiller que estaba al corriente, llenas las alforjas de comida y la bolsa de dinero para cubrir los gastos que se les presentaran, se pusieron en camino del Toboso.

una pendencia pelea o discusión

predicar en el desierto esforzarse para convencer a quien no está dispuesto a admitir algo

—Tengo determinado ir al Toboso para recibir la bendición y permiso de la sin par Dulcinea para emprender nuevas y peligrosas aventuras.

Llegaron por fin al Toboso. Don Quijote estaba excitado con la idea de ver a su señora Dulcinea. Era alrededor de medianoche cuando entraron para buscar el palacio de Dulcinea.

—Sancho hijo, guíame al palacio de Dulcinea —dijo el enamorado caballero a su escudero.

Sancho nunca había estado en el Toboso a pesar de habérselo hecho creer a su amo.

—¿Ves aquel bulto grande y sombra? —continuó don Quijote— Debe de ser el palacio de Dulcinea.

Hacia allí se dirigió y, al acercarse, vio una gran torre; mas en seguida se dio cuenta de que aquel edificio no era un alcázar*, sino la iglesia principal del pueblo.

—Con la iglesia hemos dado*, Sancho.

—Si mal no recuerdo, la casa de esta señora ha de estar por aquí —mintió el escudero.

Empezaba a impacientarse don Quijote.

—¿Cómo quiere que halle en plena noche la casa de nuestra ama en la que solo he estado una vez, si no es capaz de hallarla vuestra merced, que la debe de haber visto millares de veces?

—¿No te he dicho mil veces, Sancho, que en todos los días de mi vida no he visto a la sin par Dulcinea, ni jamás atravesé los umbrales de su palacio, y que solo estoy enamorado de oídas y de la gran fama que tiene de hermosa y discreta?

▶ 10 Después de un buen rato buscando, convenció Sancho a su amo para que se quedara esperando en un encinar* cercano hasta que él encontrara a Dulcinea y se la llevara a su presencia. Tenía prisa Sancho

un alcázar recinto fortificado
dar con algo encontrar algo
un encinar terreno pablado de encinas

por sacarlo del pueblo, para que no averiguase la mentira de la respuesta que de parte de Dulcinea le había llevado a la Sierra Morena.

Hallaron una floresta* allí cerca donde don Quijote se quedó lleno de tristes y confusas imaginaciones, mientras Sancho volvía a la ciudad a hablar a Dulcinea para pedirle que aceptara ver a su caballero y lo bendijera. Sancho, tan pronto como hubo desaparecido de la vista de su amo, se apeó del asno y se sentó al pie de un árbol, decidido a engañar a don Quijote para no tener que ir a buscar realmente a Dulcinea:

—Por mil señales he visto, mi amo está loco de atar*, aunque yo tampoco le voy a la zaga*, pues soy más mentecato que él, pues lo sigo y lo sirvo, si es verdadero el refrán que dice: "Dime con quién andas, decirte he quién eres". Siendo, pues, loco, como lo es, como las más de las veces toma unas cosas por otras, como cuando dijo que los molinos de viento eran gigantes, no será muy difícil hacerle creer que una labradora, la primera que me topare por aquí, es la señora Dulcinea. Pensará, como yo imagino, que algún mal encantador de estos que él dice que le quieren mal le habrá mudado* el aspecto para mortificarlo.

Sancho se quedó allí hasta la tarde para que don Quijote pensase que había tenido tiempo para ir y volver del Toboso. Y todo le fue bien, ya que al cabo de un tiempo vio venir a tres labradoras sobre tres asnos. Volvió a buscar a su señor, a quien halló suspirando y diciendo mil amorosas lamentaciones, y le anunció que ya llegaba la princesa ataviada regiamente y montada en un estupendo caballo, igual que las dos doncellas que la acompañaban.

—¡Santo Dios! ¿Qué es lo que dices, Sancho amigo?

—Venga, señor, y verá venir a la princesa nuestra ama vestida y adornada, en fin, como quien ella es.

Salieron del bosque y miró don Quijote hacia el camino del Toboso,

una floresta terreno poblado de árbol
estar loco/a de atar estar completamente loco/a
no ir a la zaga a alguien no ser inferior a alguien en algo
mudar cambiar, transformar

pero como solo vio a las tres labradoras, se turbó* completamente y preguntó a Sancho si las había dejado fuera de la ciudad.

—Pero, ¿no ve que son estas que aquí vienen, resplandecientes como el mismo sol a mediodía?

—Yo no veo, Sancho, sino a tres labradoras sobre tres asnos.

—Calle, señor, no diga eso. Abra bien los ojos y venga a hacer una reverencia a la señora de sus pensamientos.

Y, diciendo esto, Sancho se adelantó a recibir a las tres aldeanas hincando ambas rodillas en el suelo:

—Reina y princesa y duquesa de la hermosura, vuestra altivez y grandeza sea servida de recibir en su gracia y buen talante* al cautivo caballero vuestro, el Caballero de la Triste Figura.

A esta sazón* ya se había puesto don Quijote de rodillas junto a Sancho y miraba con ojos desencajados* y vista turbada a la que Sancho llamaba reina y señora; y como no descubría en ella sino a una moza aldeana, y no muy agraciada*, permanecía callado y admirado.

También las labradoras estaban atónitas viendo a aquellos dos hombres de rodillas que no las dejaban pasar.

Don Quijote pensó que tal engaño era producto de encantamientos del sabio maligno, que ante sus ojos ponía a campesinas feas e incultas en lugar de tanta belleza como veía Sancho.

Se apartó Sancho y las dejó irse, tan contento de haber salido airoso* de su enredo, que tuvo que disimular la risa, oyendo las sandeces de su amo, tan delicadamente engañado.

Finalmente volvieron a subir en sus animales y siguieron el camino de Zaragoza. Pero antes de llegar allá, les sucedieron cosas que merecen ser escritas y leídas, como se verá adelante.

turbarse alterarse
el buen talante la buena disposición
a esta sazón en esta ocasión
desencajado/a fuera de su lugar
agraciado/a físicamente atractivo/a
salir airoso/a terminar con éxito

Comprensión lectora

1 Di si las siguientes afirmaciones son verdaderas (V) o falsas (F).

		V	F
1	La familia y los amigos de don Quijote piensan que este ha recobrado el juicio.	☐	☐
2	Sancho va a ver a don Quijote porque le preocupa su salud.	☐	☐
3	El ama insiste en que Sancho vea a su señor, porque ello lo va a reconfortar.	☐	☐
4	El hidalgo y su escudero se enteran de que se ha publicado un libro que narra sus precedentes aventuras.	☐	☐
5	A don Quijote no le interesa en absoluto saber qué dice este libro de él y de sus aventuras.	☐	☐
6	A Sancho le asusta pensar que el autor del libro sabe cosas que ocurrieron estando su amo y él solos.	☐	☐
7	El bachiller intenta disuadir al hidalgo de que se embarque en una tercera salida.	☐	☐
8	Don Quijote quiere ir al Toboso para pedir la mano a su dama.	☐	☐
9	Don Quijote ha visto ya varias veces a Dulcinea.	☐	☐
10	El amo y el escudero encuentran rápidamente el palacio donde vive Dulcinea.	☐	☐
11	Como Sancho no tiene ganas de ir al Toboso a buscar a Dulcinea, decide engañar a su amo.	☐	☐
12	Sancho ve a tres labradoras pero cree que son damas encantadas.	☐	☐

2 ¿Quién es Cide Hamete Benengeli?

A ☐ un encantador enemigo de don Quijote
B ☐ un caballero andante contra el que don Quijote se prepara a luchar
C ☐ el autor del libro que acaba de ser publicado y que narra las aventuras del hidalgo y su escudero
D ☐ un embajador del Imperio Turco

3 A continuación tienes una serie de frases que aparecen en este capítulo, ¿Puedes decir quiénes las han pronunciado?

el ama • don Quijote • el cura • el bachiller Sancho • el cura • Sancho • don Quijote

1 __________: ¡Caballero andante he de morir!
2 __________: El vulgo tiene a vuestra merced por un grandísimo loco, y a mí por no menos mentecato.
3 __________: Tal caballero, tal escudero, que parece que los forjaron a los dos en una misma turquesa.
4 __________: Alabado sea Cide Hamete Benengeli, que la historia de vuestras grandezas dejó escrita.
5 __________: Tengo determinado ir al Toboso para recibir la bendición y permiso de la sin par Dulcinea.
6 __________: Vos veréis que cuando menos lo pensemos, nuestro hidalgo se escapará de nuevo.
7 __________: ¿Cómo quiere que halle en plena noche la casa de nuestra ama en la que solo he estado una vez?
8 __________: Idos a vuestra casa, que sois vos el que incita a mi señor y lo lleva por esos andurriales.

Vocabulario

4 "Dime con quién andas, decirte he quién eres" es el refrán que dice Sancho para referirse a su relación con don Quijote. En la obra aparecen otros muchos refranes, esencialmente en boca del escudero. Relaciona las dos columnas para encontrar el principio y el fin de cada dicho. Luego explica qué sentido tiene cada uno.

1 ☐ El que a buen árbol se arrima	**a** y salir trasquilado
2 ☐ La codicia	**b** con su pareja
3 ☐ No es la miel	**c** con pan son menos
4 ☐ Cada oveja	**d** para la boca del asno
5 ☐ Pagar justos	**e** rompe el saco
6 ☐ Los duelos	**f** por pecadores
7 ☐ Ir por lana	**g** buena sombra le cobija

Gramática

5 Sustituye en las siguientes frases la palabra que se señala por una conjunción o locución conjuntiva equivalente, utilizando las que tienes a continuación.

no obstante • siempre que • en cuanto • a pesar de que salvo que • ya que • pero • a fin de que

1 El cura habla a don Quijote de caballeros andantes **porque** quiere saber si está realmente curado de sus obsesiones.
2 **A no ser** que alguien se lo impida, el hidalgo y su escudero se irán en busca de nuevas aventuras.
3 **Tan pronto como** sabe que se ha publicado un libro que relata su historia, don Quijote quiere saber más y manda llamar al bachiller.
4 Don Quijote perdonó la vida al escudero vizcaíno **con tal de que** se presentara ante Dulcinea.
5 Don Quijote está enamorado de Dulcinea, y **sin embargo** nunca la ha visto.
6 Los dos hombres se acercan a un edificio pensando que es un palacio, **mas** en seguida se dan cuenta de que se trata de la iglesia del pueblo.
7 Sancho convence a don Quijote **para que** se quede esperando en un bosque cercano.
8 El hidalgo cree estar ante Dulcinea, **aunque** él solo ve a una labradora.

Expresión escrita

6 Cuando don Quijote pregunta a Sansón Carrasco cuáles de sus hazañas prefiere el público, el bachiller le contesta que unos se inclinan por la aventura de los molinos de viento, otros por la batalla con el vizcaíno, etc. ¿Cuál es la aventura de la primera parte que más te ha gustado? Una vez te hayas decidido, haz un breve resumen por escrito de la misma.

____

____

____

____

Expresión oral

7 **En los capítulos precedentes, el escudero cree que su amo ha matado a un gigante y que Dorotea es realmente la princesa Micomicona. Lo vemos ahora convencido de que don Quijote lo va a nombrar gobernador de una isla. El personaje de Sancho, al principio con los pies muy sólidamente en el suelo, parece que se está "quijotizando", que está sufriendo una evolución. ¿Cuál? Justifica tu respuesta.**

ANTES DE LEER

¡Tienes la palabra!

8 **A continuación, un fragmento de la conversación que tienen don Quijote y el bachiller acerca de la publicación de la primera parte del Quijote:**

—Es tan verdad, señor —dijo Sansón— que tengo para mí que el día de hoy se han impreso más de doce mil libros de tal historia: si no, dígalo Portugal, Barcelona y Valencia, donde se han impreso, e incluso he oído decir que se está imprimiendo en Amberes; y a mí se me trasluce que no ha de haber nación ni lengua donde no se traduzca.

Don Quijote sabe ahora que su celebridad ha traspasado las fronteras y que sus aventuras las leen personas por todo el mundo. ¿Crees que esto puede tener alguna influencia en su comportamiento de aquí en adelante? Justifica tu respuesta.

9 **El bachiller anima a don Quijote a proseguir con su aventura, al parecer instigado por el cura y el barbero... ¿Qué crees que están tramando?**

A ☐ Preparan una estratagema para vengarse de él.
B ☐ Quieren apoderarse de su fortuna.
C ☐ Su objetivo es que se quede definitivamente en su casa para así curarlo.
D ☐ Desean engañarlo para burlarse de él.

Capítulo 6

De lo que le sucedió al valeroso don Quijote con el bravo Caballero de los Espejos, de la famosa aventura de los leones y de la del barco encantado

▶ 11 La noche que siguió dormían don Quijote y su escudero debajo de unos altos y frondosos árboles, cuando los despertaron las quejas de amor de un caballero andante que llevaba sobre las armas una casaca* de una tela que parecía de oro finísimo, ornada de muchas lunas pequeñas de resplandecientes espejos. Don Quijote se acercó a él y, tras saludarlo y hechas las presentaciones, empezaron a hablar:

—¿Por ventura, señor caballero —preguntó el Caballero de los Espejos—, sois enamorado?

—Por desventura lo soy, aunque nunca fui desdeñado* por mi señora.

El escudero del otro caballero asió por el brazo a Sancho, diciéndole:

—Vámonos los dos adonde podamos hablar todo cuanto queramos, y dejemos a estos señores amos contándose las historias de sus amores.

El caballero empezó a contar a don Quijote todas las aventuras y hazañas llevadas a cabo en honor de su amada:

—Me ha mandado que vaya por todas las provincias de España y haga confesar a todos los caballeros andantes que por ellas vaguen* que ella es la más hermosa de cuantas hoy viven, y que yo soy el más valiente y el más enamorado caballero del orbe*. He vencido a muchos caballeros que se han atrevido a contradecirme, pero de

una casaca prenda de vestir parecida a una chaqueta
desdeñar tratar con indiferencia
vagar ir sin destino ni rumbo fijo
el orbe mundo

lo que yo más me precio* es de haber vencido en singular batalla a aquel tan famoso caballero don Quijote de la Mancha, y le he hecho confesar que es más hermosa mi Casildea que su Dulcinea

Admirado quedó nuestro hidalgo al oír aquello:

—De que vuestra merced haya vencido a todos los caballeros andantes de España, e incluso de todo el mundo, no digo nada; pero de que haya vencido a don Quijote de la Mancha, lo pongo en duda. Quizás era otro que se le parecía, aunque hay pocos que se le parezcan.

Viendo que el otro no daba su brazo a torcer*, don Quijote le retó a un duelo. Fueron a avisar a sus escuderos para que lo prepararan todo para aquella sangrienta, singular y desigual batalla que tendría lugar al alba.

Don Quijote miró a su rival, mas ya llevaba puesta la celada*.

—Señor caballero —le dijo don Quijote—, os pido que alcéis la visera un poco, porque yo vea vuestro rostro.

—O vencido o vencedor que salgáis de esta empresa, —respondió el de los Espejos—, os quedará suficiente tiempo para verme. Y no olvidéis que la condición de nuestra batalla es que el vencido ha de quedar a discreción* del vencedor.

—Ya lo sé, con tal de que lo que se le imponga al vencido sean cosas que no salgan de los límites de la caballería.

—Así se entiende.

Don Quijote clavó con fuerza las espuelas en Rocinante y arremetió con furia contra el Caballero de los Espejos y lo derribó, dando tal caída que creyeron que estaba muerto.

Cuando el hidalgo le levantó el yelmo, pudo ver maravillado que su rival tenía los rasgos del bachiller Carrasco. Y también con la luz del día reconoció Sancho al escudero, que era su vecino Tomé Cecial.

Volvió finalmente en sí* el de los Espejos. Don Quijote le puso la

preciarse de algo sentirse orgulloso/a de algo
no dar su brazo a torcer mantenerse firme en una opinión
una celada pieza de la armadura que cubre y protege la cabeza
a discreción de alguien a la voluntad de alguien
volver en sí recuperar el sentido

punta desnuda de su espada encima de la cara y le dijo:

—Habéis de prometer ir a el Toboso y presentaros ante la sin par Dulcinea de mi parte. También habéis de confesar y creer —añadió— que aquel caballero que vencisteis no fue ni pudo ser don Quijote de la Mancha, sino otro que se le parecía.

Había animado el bachiller a don Quijote a llevar a cabo su tercera salida, porque habían hablado con el cura y el barbero sobre qué medio se podría tomar para que este se estuviese en su casa quieto y sosegado; decidieron que dejarían salir a don Quijote, pues parecía imposible detenerle, y que Sansón le saldría al camino como caballero andante, trabaría* batalla con él y lo vencería, teniéndolo por cosa fácil, y, como habrían pactado que el vencido quedase a merced del vencedor, el bachiller mandaría* al caballero que se volviese a su pueblo y casa, y que no volviera a salir de ella; lo cual don Quijote cumpliría sin duda alguna para no contravenir a las leyes de la caballería.

Carrasco aceptó, y se le ofreció por escudero Tomé Cecial, vecino de Sancho Panza. Se pusieron en camino y finalmente, dieron con ellos en el bosque, donde les sucedió todo lo que más arriba se relata.

Aún dudando de que el vencido fuese su amigo el bachiller, pues pensaban que todo se debía de nuevo a engaños de malvados encantadores, don Quijote y Sancho prosiguieron su camino hacia Zaragoza.

12 Al poco rato vieron como por el camino se acercaba un carro con muchas banderas reales. Cuando lo vio, don Quijote supo que estaba ante una nueva aventura.

Llegó en esto el carro, en el cual venían el carretero y un hombre sentado delante; don Quijote se puso frente al carro:

—¿Adónde vais, hermanos? ¿Qué carro es este, qué lleváis en él y qué banderas son estas?

trabar empezar

mandar ordenar

—El carro es mío —respondió el carretero. Lo que va en él son dos bravos leones enjaulados, que el general de Orán envía a Su Majestad.

—¿Y son grandes los leones?

—Tan grandes, que jamás han pasado mayores ni tan grandes de África a España. Y ahora van hambrientos porque hoy no han comido.

—¿Leoncitos a mí? Apeaos, buen hombre, y abrid esas jaulas y echadme esas bestias fuera, que les daré a conocer quién es don Quijote de la Mancha.

Intervino entonces Sancho:

—Señor, que estos leones nos han de hacer pedazos a todos.

Pero don Quijote mandó al leonero que los soltasen, ya que quería pelear contra las fieras para probar su valentía.

—¡Si no abrís las jaulas, con esta lanza os he de coser con el carro!

Como nadie pudo convencerlo de lo contrario, el carretero accedió y todos corrieron a refugiarse. Sancho le suplicó que desistiese de tal empresa, y lloraba la muerte de su señor, que aquella vez sin duda creía que llegaba en las garras de los leones.

Saltó del caballo, embrazó* el escudo y desenvainando la espada se puso delante del carro, encomendándose a su señora Dulcinea.

El carretero abrió la primera jaula, pero el león, más comedido* que arrogante, abrió la boca, bostezó muy despacio, y, después de haber mirado a una y otra parte, volvió las espaldas y enseñó sus traseras partes a don Quijote, y con gran flema se volvió a echar en la jaula.

Don Quijote mandó al leonero que le diese de palos y lo irritase para hacerlo salir.

—Conténtese vuestra merced con lo hecho —le dijo el hombre del carro. Ningún bravo peleante está obligado a más que a desafiar a su enemigo y esperarlo en campaña*; y si el contrario no acude, en

embrazar sujetar metiendo el brazo
comedido/a prudente, moderado/a
la campaña campo llano sin montes

él se queda la infamia, y el que espera gana la corona de la victoria.

—Así es verdad. Cierra, amigo, la puerta.

El leonero le prometió contar aquella valerosa hazaña al mismo rey, cuando lo viese en la Corte.

—Pues si acaso Su Majestad le pregunta quién la hizo, le diréis que el Caballero de los Leones, que quiero que así me llamen en adelante.

Siguió su camino el carro, así como don Quijote y Sancho, quienes vivieron nuevas e inauditas aventuras.

Un día don Quijote partió con Sancho a la cueva de Montesinos, porque tenía gran deseo de entrar en ella y ver con sus propios ojos si eran verdaderas las maravillas que de ella se contaban por aquellos contornos. Los acompañaba un estudiante, aficionado también a las novelas de caballería.

Cuando llegaron, el estudiante y Sancho ataron fuertemente a don Quijote para que no se soltara y comenzaron a bajarlo. Cuando se quedaron sin cuerda esperaron un rato y empezaron luego a subirlo. Hasta las ochenta brazas* de cuerda no comenzaron a notar peso en la cuerda; finalmente, a las diez, distinguieron a don Quijote. Cuando lo sacaron del todo, vieron que estaba dormido. Lo tendieron en el suelo y, con todo, no despertaba; pero tanto lo sacudieron y menearon, que volvió en sí, desperezándose, como si de algún grave y profundo sueño despertara; y mirando a una y otra parte, como espantado, dijo:

—Dios os lo perdone, amigos, que me habéis quitado de la más sabrosa y agradable vida y vista que ningún humano ha visto ni pasado.

Comenzó entonces a contar historias asombrosas de lo que, según él, había vivido en la cueva, en la cual dijo haber encontrado a caballeros encantados por Merlín, y ofrecido a una compañera de

una braza medida de longitud, igual a 1,6718 m

Dulcinea dinero y esfuerzo para librarla de su encantamiento. Don Quijote comprendió que su dama necesitaba su ayuda.

Se fueron y poco tiempo después llegaron a orillas del río Ebro y vieron allí un pequeño barco sin remos que estaba atado en la orilla a un tronco. Miró don Quijote por todas partes y, no viendo a nadie, se acercó:

—Has de saber, Sancho, que este barco que aquí está me está llamando y convidando a que entre en él para ir a dar socorro a alguna necesitada e importante persona que debe de estar en alguna gran cuita*.

Y dando un salto en el barco, seguido de su fiel escudero, cortó el cordel, y el barco se fue apartando poco a poco de la ribera. Cuando Sancho se vio en medio del río, comenzó a temblar, temiendo su perdición. Una corriente los llevó hacia unas grandes aceñas* que había en la mitad del río y, apenas las hubo visto don Quijote, con voz alta dijo a Sancho:

—¿Veis? Allí, ¡oh amigo!, se descubre la ciudad, castillo o fortaleza donde debe de estar algún caballero oprimido, o alguna reina, infanta o princesa malparada, a quien vengo a socorrer.

—¿Qué diablos de ciudad, fortaleza o castillo dice vuestra merced, señor? ¿No ve que aquellas son aceñas donde se muele el trigo?

—Calla, Sancho, que ya te he dicho que los encantos mudan de su ser natural todas las cosas.

Los molineros salieron cubiertos los rostros y los vestidos del polvo de la harina, por lo que ofrecían una extraña visión. Al ver venir aquel barco por el río, gritaron:

—¡Demonios de hombres! ¿Adónde vais? ¿Venís tan desesperados que queréis ahogaros y haceros pedazos en estas ruedas?

—¿No te dije yo, Sancho, que habíamos llegado donde he de

una cuita suceso que causa pena

una aceña molino de harina situado en el cauce de un río

mostrar adónde llega el valor de mi brazo? ¡Ahora veréis, bellacos*!

Y, puesto en pie en el barco, con grandes voces comenzó a amenazar a los molineros:

—¡Malvados canallas, dejad en libertad a la persona que tenéis oprimida en vuestra fortaleza o prisión!

Y echando mano a su espada, comenzó a esgrimirla en el aire contra los molineros. Estos, oyendo pero no entendiendo aquellas sandeces, se pusieron con sus varas* a detener el barco, que ya iba entrando en el canal de las ruedas. Consiguieron evitarles la muerte a los dos hombres, mas estos cayeron al agua; don Quijote sabía nadar, pero el peso de las armas lo llevó al fondo dos veces; y si no fuera por los molineros, que se arrojaron al agua, se habrían ahogado.

Llegaron en esto los pescadores dueños del barco, que las ruedas de las aceñas habían hecho pedazos, y, viéndolo roto, le pidieron a don Quijote que les pagara los daños. Don Quijote aceptó hacerlo con la condición de que liberaran a los prisioneros que retenían en aquel castillo.

—Amigos —dijo finalmente don Quijote, dirigiéndose a los supuestos cautivos del castillo, convencido de que todo aquello era de nuevo cosa de encantadores—, quienquiera que seáis, en esa prisión quedáis encerrados, perdonadme, que yo no os puedo sacar de vuestra aflicción. Para otro caballero debe de estar reservada esta aventura.

Los pescadores y los molineros estaban admirados ante aquellas dos extravagantes figuras y, teniéndolos por locos y después de que pagaran por el barco cincuenta reales, los dejaron ir. Y este fin tuvo la aventura del barco encantado.

un/a bellaco/a persona mala y despreciable

una vara trozo de madera más largo que grueso

ACTIVIDADES

Comprensión lectora

1 Elige la respuesta más adecuada.

1 El Caballero de los Espejos se queja:

A ☐ porque está herido.
B ☐ de amor.
C ☐ de su escudero.
D ☐ de no haber encontrado a don Quijote.

2 ¿Cuando el Caballero de los Espejos afirma haber vencido a don Quijote, cómo reacciona este?

A ☐ Lo ignora completamente.
B ☐ Lo reta en duelo.
C ☐ Lo felicita por su valentía.
D ☐ Le propone acompañarlo en sus aventuras.

3 ¿Quién es el Caballero de los Espejos?

A ☐ el cura
B ☐ el barbero
C ☐ el bachiller
D ☐ un estudiante aficionado a las novelas de caballería

4 Los leones que vienen en las carretas son un regalo para:

A ☐ don Quijote
B ☐ el general de Orán
C ☐ el rey
D ☐ el Caballero de los Espejos

5 Don Quijote quiere pelear contra las fieras para probar su:

A ☐ valentía
B ☐ cobardía
C ☐ paciencia
D ☐ resistencia

6 ¿Cómo reacciona el león cuando tiene enfrente a don Quijote?

A ☐ Se cae de espaldas.
B ☐ Le muerde en la espalda.
C ☐ Lo ataca por la espalda.
D ☐ No ataca a don Quijote.

7 ¿Cómo desea el Caballero de la Triste Figura que lo llamen de ahora en adelante?

A ☐ el Caballero de los Leones
B ☐ el Caballero del Bosque
C ☐ el Caballero de los Molinos
D ☐ el Caballero de Montesinos

8 Según don Quijote, en la cueva de Montesinos:

A ☐ no vio nada.
B ☐ vio muchos prodigios.
C ☐ estuvo a punto de morir.
D ☐ se aburrió.

9 Después de visitar la cueva de Montesinos, ¿adónde llegan?

A ☐ al río Guadalquivir
B ☐ al Toboso
C ☐ al mar Mediterráneo
D ☐ al río Ebro

10 ¿De qué manera están a punto de morir don Quijote y Sancho en el episodio del barco encantado?

A ☐ ahogados
B ☐ apaleados
C ☐ linchados
D ☐ de hambre

Expresión oral

2 **En la Cueva de Montesinos don Quijote dice haber visto cosas maravillosas y mágicas y haber visitado un mundo fantástico. Imagina y describe las ciudades fabulosas, los personajes extraordinarios y las historias quiméricas que el hidalgo ha creído vivir.**

Gramática

3 **Lee de nuevo el siguiente texto del capítulo que acabas de leer y señala los ocho verbos en condicional que aparecen y escribe asimismo el infinitivo correspondiente.**

Había animado el bachiller a don Quijote a llevar a cabo su tercera salida, porque habían hablado con el cura y el barbero sobre qué medio se podría tomar para que este se estuviese en su casa quieto y sosegado; decidieron que dejarían salir a don Quijote, pues parecía imposible detenerle, y que Sansón le saldría al camino como caballero andante, trabaría batalla con él y lo vencería, teniéndolo por cosa fácil, y, como habrían pactado que el vencido quedase a merced del vencedor, el bachiller mandaría al caballero que se volviese a su pueblo y casa, y que no volviera a salir de ella; lo cual don Quijote cumpliría sin duda alguna para no contravenir a las leyes de la caballería.

Vocabulario

4 **Completa el crucigrama con la palabras que has encontrado en este capítulo que corresponden a las definiciones.**

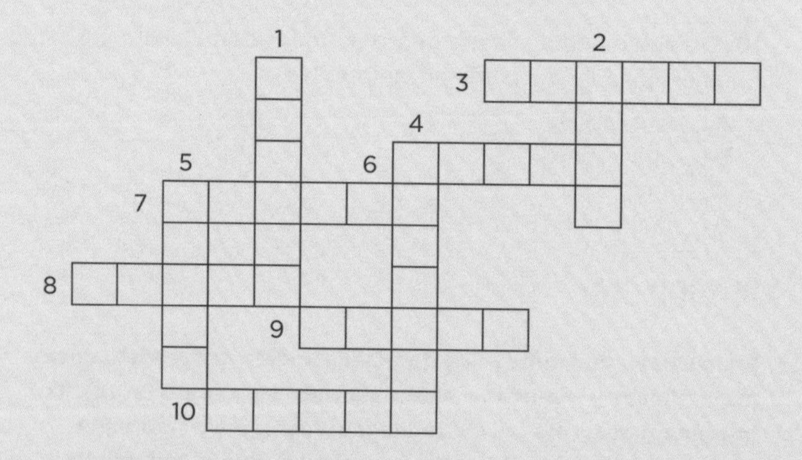

HORIZONTALES

3 Edificio en que está instalada una máquina utilizada para triturar alguna cosa.

6 Construcción flotante que sirve para transportar a personas o mercancías por el agua.

7 Conjunto de hilos que, retorcidos juntos, forman uno solo, grueso y flexible.

8 Combate entre dos a dos personas que se han desafiado.

9 Manifestación de dolor, pena, descontento o disgusto.

10 Caja hecha con barrotes para encerrar o transportar animales.

VERTICALES

1 Superficie lisa y brillante que refleja los objetos.

2 Mamífero carnívoro félido de gran tamaño, considerado el rey de la selva.

4 Trozo de tela que se emplea como insignia de una nación.

5 Cavidad subterránea natural o construida artificialmente.

ANTES DE LEER

¡Tienes la palabra!

5 El bachiller Carrasco es derrotado contra todo pronóstico por don Quijote.

Marca (✓) lo que crees que sucederá más adelante.

A ☐ El bachiller encontrará de nuevo a don Quijote y esta vez lo vencerá.

B ☐ El bachiller encontrará a don Quijote, pero este último lo volverá a derrotar.

C ☐ El bachiller encontrará a don Quijote, pero no volverán a luchar.

D ☐ El bachiller no lo volverá a encontrar nunca más.

Capítulo 7

Donde se cuentan las aventuras extrañas y jamás imaginadas sucedidas en casa de los duques, y otros admirables sucesos

Saliendo un día de un bosque, vio don Quijote a unos cazadores y, entre ellos, a una gallarda* señora ricamente vestida.

—Corre, Sancho, y di a aquella señora que yo, el Caballero de los Leones, besa las manos a su gran hermosura y que si me da permiso, iré a servirla en cuanto haga falta.

Sancho fue a ponerse de rodillas ante ella:

—Hermosa señora, mi amo, el Caballero de los Leones, que hasta hace poco se hacía llamar el de la Triste Figura, me envía para deciros que su único deseo es serviros.

—Decidme, escudero—dijo la duquesa—, este vuestro señor, ¿no es uno de quien anda impresa una historia que se llama "El ingenioso hidalgo don Quijote de la Mancha", que tiene por señora a una tal Dulcinea del Toboso?

—El mismo es, señora; y su escudero, a quien llaman Sancho Panza, soy yo.

—Decid pues a vuestro señor que mi marido el duque y yo estaríamos muy contentos de recibirlo en nuestro castillo.

Como los duques habían leído la primera parte de esta historia y sabían de la locura de nuestro hidalgo, para burlarse de él decidieron seguirle la corriente y tratarlo como a un caballero andante, con

gallardo/a de buena presencia

todas las ceremonias acostumbradas en los libros de caballerías, a las que eran muy aficionados.

Se adelantó el duque para explicar a los criados como debían tratar al nuevo huésped. Cuando llegó don Quijote al castillo, fue recibido ceremoniosamente por la servidumbre* de aquellos señores, que gritaba:

—¡Bienvenido sea la flor y la nata* de los caballeros andantes!

Unas doncellas quitaron las armaduras a don Quijote y se dispusieron todos a cenar. Lo convidó el duque a la cabecera de la mesa y durante la cena hablaron el hidalgo y su escudero de las numerosas aventuras vividas.

—¿Por ventura —dijo uno de los comensales— sois vos aquel Sancho Panza a quien vuestro amo tiene prometida una isla?

—Sí soy.

—Sancho amigo —dijo a esta sazón el duque—, yo, en nombre del señor don Quijote, os mando el gobierno de una que tengo de no pequeña calidad.

Sancho se volvió loco de la alegría. La duquesa se moría de risa, y tenía al escudero por aún más gracioso y por más loco que a su amo.

La duquesa rogó a don Quijote que le describiese a la señora Dulcinea.

—Más estoy para llorarla que para describirla —suspiró don Quijote. Porque deben de saber vuestras grandezas que ha sido encantada y convertida de princesa en labradora, de hermosa en fea, y de bien hablada en rústica.

—¡Válgame Dios! —se exclamó el duque. ¿Quién ha podido hacer tamaña* infamia?

—¿Quién? Malignos y envidiosos encantadores que me persiguen...

Tras todas aquellas conversaciones, los duques decidieron hacer una burla a don Quijote que fuese famosa y acorde con el estilo caballeresco.

Llevaron pues un día a don Quijote a caza de montería*. Había

la servidumbre conjunto de criados
la flor y nata lo mejor
tamaño/a semejante, tal
caza de montería cacería de caza mayor con perros

anochecido, cuando de repente llegó una procesión de carros haciendo un gran estruendo. Los precedía un demonio, a quien preguntó el duque:

—Hola, hermano, ¿quién sois, adónde vais, y qué gente es esta?

—Yo soy el Diablo, y voy en busca de don Quijote de la Mancha. La gente que por aquí viene son seis tropas de encantadores que sobre un carro triunfante traen a la sin par Dulcinea del Toboso. Encantada viene con el gallardo Montesinos, para revelar a don Quijote cómo ha de ser desencantada.

Seguían detrás unas carretas tiradas por bueyes, que en cada cuerno traían atada y encendida una gran hacha* de cera; encima de cada carro, unos venerables ancianos se presentaron como tantos sabios. El último carro era mucho más grande que los precedentes y en él venía sentada una ninfa y un extraño personaje con la misma figura de la muerte, quien comenzó a decir:

—Yo soy Merlín. Aquí estoy porque a mí llegó la voz doliente* de la bella y sin par Dulcinea del Toboso. Supe de su encantamento y su desgracia, y de su trasformación de gentil dama en rústica aldeana. Tras haber consultado cien mil libros, he encontrado el remedio que conviene a tamaño dolor. ¡Valiente don Quijote de la Mancha, para que Dulcinea recobre su estado primero es necesario que Sancho, tu escudero, se dé tres mil trecientos azotes en las posaderas*!

—¡Vaya modo de desencantarla! —exclamó Sancho— ¡Yo no sé qué tienen que ver mis posaderas con los encantamientos!

—Los azotes que ha de recibir el buen Sancho —continuó Merlín— han de ser por su voluntad, y no por fuerza.

Sancho no estaba dispuesto a recibir aquellos azotes, pues consideraba que él no tenia culpa ninguna en todo aquello.

—Amigo Sancho —intervino el duque—, si no lo hacéis, no os daré

un hacha vela gruesa de cera
doliente que siente pena
la posaderas partes carnosas y redondeadas que forman los músculos glúteos

el gobierno de la isla. ¡No puedo enviar a mis isleños a un gobernador cruel, que no se doblega ante las lágrimas de las afligidas doncellas!

Sancho al oír esto aceptó a regañadientes* su penitencia. Don Quijote se colgó del cuello de Sancho, dándole mil besos en la frente y en las mejillas. El carro prosiguió su camino y, al pasar la hermosa Dulcinea, inclinó la cabeza a los duques e hizo una gran reverencia a Sancho.

Al alba, satisfechos los duques de la caza y del éxito de la farsa, volvieron a su castillo, con el objetivo de segundar* en sus burlas.

▶ 13 Estando un día en el jardín, entraron tres hombres vestidos de negro, a quienes seguía un personaje de gran tamaño con una larguísima barba blanca, el cual, arrodillándose ante el duque, dijo:

—Altísimo y poderoso señor, a mí me llaman Trifaldín el de la Barba Blanca. Soy escudero de la condesa Trifaldi, también llamada la dueña* Dolorida, quien le pide permiso para venir a contarle su desgracia. Mas primero quiere saber si está en vuestro castillo el valeroso y jamás vencido caballero don Quijote de la Mancha, en cuya busca viene.

—Bien podéis decirle a mi señora la condesa Trifaldi que entre y que aquí está el valiente caballero.

Se presentaron entonces en el jardín doce dueñas y detrás la condesa Trifaldi, con los rostros cubiertos con unos tupidos* velos negros. La Dolorida se adelantó y, poniéndose de rodillas en el suelo, con voz más ronca que delicada exclamó:

—Señor poderosísimo, hermosísima señora, antes de contarles mi historia, quisiera saber si está en esta compañía el acendradísimo* caballero don Quijote de la Manchísima y su escuderísimo Panza.

—El Panza —dijo Sancho— aquí está y el don Quijotísimo también, y, así, podréis, dolorosísima dueñísima, decir lo que queráis, que todos estamos dispuestísimos a ser vuestros servidorísimos.

a regañadientes de mala gana
segundar repetir un acto que acaba de hacer
una dueña señora o mujer principal
tupido/a denso/a
acendrado/a puro/a, sin mancha ni defecto

Los duques, así como todos quienes conocían el secreto de esta aventura, estaban reventados de risa, y alababan la agudeza y disimulación de la Trifaldi, que era en realidad el mayordomo del duque.

Explicó entonces la Trifaldi como ella había ayudado a la princesa Antonomasia, hija del rey Archipiela y la reina Maguncia, heredera del reino de Candaya, a conseguir el amor de un caballero de bajo linaje llamado don Clavijo. Antonomasia y don Clavijo se habían casado. Cuando la madre de Antonomasia se enteró de aquella desigual boda, murió del disgusto. Apenas enterrada la reina, apareció montado en un caballo de madera el gigante Malambruno, primo hermano de Maguncia, que era un encantador; para vengarse de la muerte de su prima, convirtió a Antonomasia y a don Clavijo en sendas estatuas de animales. Entre los dos hay una columna en la que está escrita la sentencia: "No cobrarán su primera forma estos dos atrevidos amantes hasta que el valeroso manchego venga a pelear conmigo en singular batalla".

—Finalmente —continuó la Trifaldi—, hizo traer ante él a todas las dueñas de palacio, que son las que están presentes, para vengarse así de mi intercesión, y cargando a todas la culpa que yo sola tenía, decidió infligirnos un cruel castigo.

Y entonces la Dolorida y las demás dueñas alzaron los velos con que venían cubiertas, y descubrieron sus rostros poblados de barbas, por lo que quedaron atónitos todos los presentes.

—Si el señor don Quijote no nos ayuda —prosiguió la Trifaldi prosiguió—, con barbas nos llevarán a la sepultura.

—Decidme, señora —respondió don Quijote—, qué es lo que tengo de hacer, que estoy dispuesto a serviros.

Le explicó entonces la Dolorida que para ello debía ir a luchar contra Malambruno, ya que este había dicho que solo desharía el encantamiento

si don Quijote de la Mancha se enfrentaba con él. Como el reino en el que el gigante se encontraba estaba muy lejos, Malambruno le había ofrecido su caballo volador para que pudieran viajar más velozmente.

—¿Y cuántos caben en ese caballo? —preguntó Sancho.

—Dos personas, un caballero y su escudero —respondió la Trifaldi.

—Querría yo saber, señora Dolorida —continuó Sancho—, qué nombre tiene ese caballo.

—Se llama Clavileño el Alígero, cuyo nombre conviene por ser de leño* y por la clavija* que le sirve de freno, y por la ligereza con que camina.

Llegó en esto la noche, y entraron por el jardín cuatro salvajes que sobre sus hombros traían un gran caballo de madera. Lo pusieron en el suelo y uno de los salvajes dijo:

—Suba sobre esta máquina el que tuviere ánimo para ello.

—Aquí —dijo Sancho— yo no subo, porque ni tengo ánimo ni soy caballero.

Y el salvaje prosiguió:

—No hay más que torcer esta clavija que hay sobre el cuello, y él los llevará por los aires adonde los espera Malambruno; pero para que la altitud no les dé vértigo, se han de tapar los ojos hasta que el caballo relinche, que será la señal de que su viaje ha tocado a fin*.

Tras convencer a Sancho de que subiera al caballo, montaron en él, se vendaron los ojos, y don Quijote tocó la clavija. Apenas la hubo rozado con los dedos que todos los que estaban presentes levantaron las voces, diciendo:

—¡Dios te guíe, valeroso caballero!

—¡Ya, ya vais por esos aires, rompiéndolos con más velocidad que una saeta*!

Entonces los sirvientes comenzaron a utilizar fuelles* para simular el viento y prendieron estopas* para simular el cercano calor del sol.

el leño madera
una clavija pieza de metal para sujetar
tocar a su fin terminar
una saeta arma que se lanza
un fuelle instrumento para lanzar aire
la estopa tela basta y gruesa

Los duques y los que estaban presentes en el jardín se morían de risa; y queriendo dar remate* a la extraña y bien preparada aventura, prendieron fuego a Clavileño por la cola y, como el caballo estaba lleno de cohetes tronadores*, voló por los aires con extraño ruido y dio con don Quijote y Sancho Panza en el suelo medio chamuscados.

Cuando se levantaron, quedaron atónitos de verse en el mismo jardín de donde habían partido. Y creció más su admiración cuando vieron hincada una gran lanza en el suelo con un pergamino, en el que estaba escrito con grandes letras de oro:

"El ínclito* caballero don Quijote de la Mancha acabó la aventura de la condesa Trifaldi y compañía con solo intentarla. Malambruno se da por contento y satisfecho. Los rostros de las dueñas vuelven a ser lisos y mondos*, y los reyes don Clavijo y Antonomasia han recuperado su estado original. Y cuando la penitencia infligida al escudero esté cumplida, la blanca paloma se verá libre de aquellos que la persiguen, tal como profetizó el encantador Merlín."

Habiendo don Quijote leído aquello, entendió claramente que se refería al desencantamiento de Dulcinea; y dio muchas gracias al cielo de que con tan poco peligro hubiese acabado tan gran hazaña.

Con los brazos abiertos fue el duque a abrazar a don Quijote, diciéndole que era el más buen caballero que en ningún siglo se hubiese visto.

Así pues, este fue el fin de la aventura de la dueña Dolorida, que hizo reír a los duques el resto de su vida. Y tan contentos quedaron con el éxito de aquella farsa, que determinaron seguir adelante con las burlas.

El duque dijo a Sancho que se preparara para viajar a la isla donde ya lo esperaban. Al oír esto Don Quijote se apartó un momento con su escudero para aconsejarle acerca de cómo tenía que comportarse como gobernador de una isla y demás atributos de un buen gobernante.

dar remate a algo acabar algo
tronador/a que provoca un fuerte ruido
ínclito/a ilustre, famoso/a
mondo/a que carece de pelo

ACTIVIDADES

Comprensión lectora

1 Di si las siguientes afirmaciones son verdaderas (V) o falsas (F).

		V	F
1	Los duques conocen la existencia de don Quijote porque habían leído la primera parte de la historia.	☐	☐
2	Los duques deciden divertirse a costa del hidalgo y su escudero.	☐	☐
3	El duque dice ser propietario de una isla.	☐	☐
4	Don Quijote y Sancho son invitados a cenar y a cazar.	☐	☐
5	El mago Merlín revela a don Quijote que para desencantar a Dulcinea Sancho debe recibir trescientos azotes.	☐	☐
6	La condesa y su séquito de doncellas llevan un tupido velo que cubre su rostro porque son musulmanas.	☐	☐
7	Para no tener vértigo al viajar con el caballo volador tienen que taparse los ojos.	☐	☐
8	Don Quijote fracasa en su aventura contra Malambruno.	☐	☐
9	Tras el éxito de farsa de la dueña Dolorida, los duques deciden poner fin a las burlas.	☐	☐
10	Sancho tiene que prepararse para viajar al Toboso.	☐	☐

Gramática

2 Al final del capítulo, don Quijote aconseja a Sancho sobre como debe comportarse para desempeñar bien su nuevo cargo. A continuación damos algunos de los consejos que el hidalgo da al futuro gobernador. Conjuga en imperativo los verbos entre paréntesis y podrás conocerlos.

CONSEJOS PARA EL ALMA

1 ☐ Primeramente, (temer) _____ a Dios, porque en el temerle está la sabiduría.
2 ☐ (Conocerse — tú) _____ a ti mismo, que es el más difícil conocimiento.
3 ☐ (Hacer) _____ gala de humildad.
4 ☐ (No tratar) _____ mal con palabras al que has de castigar con obras, pues le basta al desdichado la pena del suplicio.
5 ☐ (Tener) _____ cuidado en no dejarte influenciar por los regalos del rico y los sollozos del pobre.

CONSEJOS PARA EL CUERPO

6 ☐ (Ser) _____ limpio y (cortarse) _____ las uñas.
7 ☐ (Comer) _____ poco y (cenar) _____ menos.
8 ☐ (No beber) __________ demasiado, que al que bebe demasiado vino le cuesta cerrar la boca.
9 ☐ (Dormir) _________ con moderación para aprovechar el día.
10 ☐ (Habla) _________ despacio, pero no de manera que parezca que te escuchas a ti mismo.

3 **Señala los superlativos que no están bien utilizados en los diálogos siguientes. ¿A qué único elemento de la frase podemos aplicar el sufijo *-ísimo*?**

—Señor poderosísimo, hermosísima señora, antes de contarles mi historia, quisiera saber si está en esta compañía el acendradísimo caballero don Quijote de la Manchísima y su escuderísimo Panza.

—El Panza —dijo Sancho— aquí está y el don Quijotísimo también, y, así, podréis, dolorosísima dueñísima, decir lo que queráis, que todos estamos dispuestísimos a ser vuestros servidorísimos.

Expresión oral

4 **Para desencantar a la amada del hidalgo, Sancho deberá darse tres mil trescientos azotes. ¿Qué harías tú si estuvieras en su lugar? Por otro lado, ¿qué estarías dispuesto a hacer para ayudar a un amigo y qué no aceptarías hacer?**

Comprensión auditiva

▶ 13 **5** **Escucha de nuevo la pista 13 y presta particular atención al momento en la que la condesa Trifaldi relata su historia, para poder contestar luego a las siguientes preguntas.**

1 ¿Cómo se llama la heredera del reino de Candaya?

A ☐ Antonomasia
B ☐ Archipiela
C ☐ Maguncia
D ☐ Trifaldi

2 ¿Por qué la madre no acepta la boda de su hija?
A ☐ Cree que su hija es demasiado joven.
B ☐ El marido no es cristiano.
C ☐ El marido es de rango social inferior.
D ☐ Ella está enamorada del marido de su hija.

3 ¿Qué hizo la reina Maguncia al enterarse de la boda de su hija?
A ☐ Se alegró muchísimo.
B ☐ Se murió del disgusto.
C ☐ Mató a los recién casados.
D ☐ Desheredó a su hija.

4 ¿Qué relación de parentesco tenían el gigante Mambruno y la reina Magurcia?
A ☐ Eran hermanos.
B ☐ Eran primos.
C ☐ Eran tío y sobrina.
D ☐ Eran yerno y suegra.

5 Para vengarse, Mambruno convirtió a los amantes en:
A ☐ caballos de madera
B ☐ columnas
C ☐ animales
D ☐ estatuas

Vocabulario

6 **Completa el crucigrama con las palabras que faltan en las frases.**

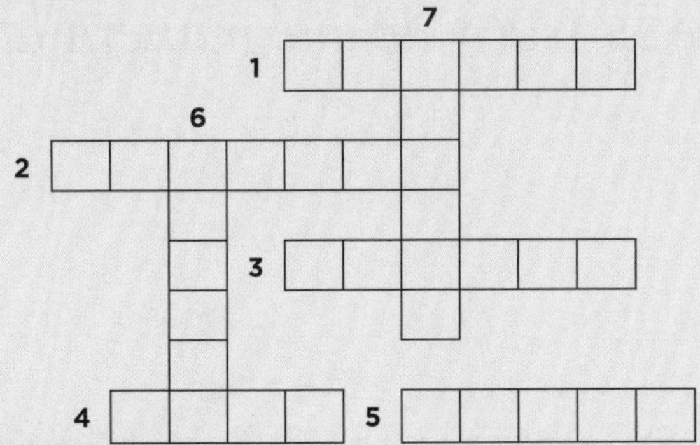

HORIZONTALES

1 En la profecía del mago Merlín, la metáfora para representar a Dulcinea es una blanca ________.

2 El escudero y su amo montan en un ________ de madera que les ha enviado el gigante Malambruno.

3 Don Quijoté confundió dos rebaños de ________ con dos ejércitos enemigos.

4 Ginés de Pasamonte robó el ________ del escudero.

5 El hidalgo poseía un rocín flaco y un ________ de caza.

VERTICALES

6 Llevaron a don Quijote a su pueblo dentro de una jaula tirada por unos ________.

7 Don Quijote quería pelear contra unos ________ que había en un carro para probar su valentía.

ANTES DE LEER

¡Tienes la palabra!

7 **Sancho decide aceptar la penitencia de los azotes pero a regañadientes, pues el duque lo amenaza con no darle el gobierno de la isla. Marca (✓) lo que crees que hará Sancho.**

A ☐ Cumplirá la penitencia sin protestar.

B ☐ No la cumplirá y don Quijote se enfadará con él.

C ☐ Encontrará una manera de cumplirla sin sufrir demasiado.

D ☐ Convencerá a otra persona para que la haga por él.

Capítulo 8

De como Sancho Panza tomó posesión de su isla y de qué manera la gobernó

Salió Sancho ricamente vestido y acompañado de mucha gente. Al despedirse de los duques, les besó las manos, y tomó la bendición de su señor, que se la dio con lágrimas. Apenas hubo partido, que don Quijote sintió su soledad.

Con todo su séquito llegó Sancho a un lugar de hasta mil habitantes, que era de los mejores que el duque tenía. Al llegar a las puertas de la villa, que estaba fortificada, salió el regimiento del pueblo a recibirlo, tocaron las campanas y todos los vecinos dieron muestras de alegría; y luego, con algunas ridículas ceremonias, le entregaron las llaves de la ciudad y lo admitieron por perpetuo gobernador de la isla Barataria, que así le dijeron que se llamaba aquel lugar.

Lo condujeron al juzgado para que administrase justicia y probara así sus aptitudes como gobernador:

—Es costumbre antigua que el que viene a tomar posesión de esta famosa isla esté obligado a responder a una pregunta que se le hace, que sea algo intrincada* y dificultosa; y, según la respuesta, el pueblo toma el pulso* del ingenio de su nuevo gobernador y, así, o se alegra o se entristece con su venida.

Se le presentaron entonces tres querellas. La primera consistía en

intrincado/a complicado/a, difícil o confuso/a

tomar el pulso intentar averiguar las cualidades o intenciones

un sastre y un cliente que no lograban ponerse de acuerdo sobre el trabajo realizado; Sancho, una vez hubieron explicado sus razones uno y otro, decidió que ninguno de los dos tuviera lo que pedía, ya que ambos se habían mostrado muy desconfiados con el otro. Se presentó a continuación ante él un anciano que había recibido prestados diez escudos de oro, y que no se los quería devolver a su dueño porque decía que ya lo había hecho; pero Sancho descubrió que no era así y restituyó el dinero a su propietario. El último caso era el de una mujer que acusaba a un ganadero de seducción y robo, pues decía que el hombre la había forzado en mitad de un camino y no la quería indemnizar; gracias a una estratagema, Sancho pudo averiguar que ella mentía.

Los presentes quedaron admirados de los juicios y sentencias de su nuevo gobernador.

Mientras, en el castillo de los duques, desde encima de la reja que daba al aposento de don Quijote, descolgaron un cordel donde venían más de cien cencerros* asidos, y luego tras ellos tiraron un gran saco de gatos, que también llevaban cencerros atados a las colas. Fue tan grande el ruido que, aunque habían sido los inventores de la burla, los duques se sobresaltaron. Don Quijote quedó primero pasmado; pero se levantó y comenzó a luchar con la espada contra los gatos y a decir a grandes voces:

—¡Afuera, malignos encantadores! ¡Afuera, que yo soy don Quijote de la Mancha, contra quien no valen vuestras malas intenciones!

Uno de los gatos le saltó al rostro y lo asió de las narices con las uñas; tuvieron que ayudarlo a sacárselo. Una doncella lo curó y le puso vendas. Los duques lo dejaron descansar y se fueron pesarosos* del mal desenlace de la burla, que no creían que tan pesada y costosa le saliera a don Quijote aquella aventura, que le costó cinco días de encerramiento y de cama.

un cencerro campana pequeña

pesaroso/a que siente tristeza

14 En la isla, desde el juzgado llevaron a Sancho Panza a un suntuoso palacio donde se le ofreció un gran banquete con muy variados platos. Sancho se sentó a la cabecera de la mesa, y a su lado se puso un personaje, el cual, apenas había comido un bocado, ordenaba que le retiraran el plato; y así uno a uno, iban presentando los deliciosos manjares* sin que él pudiera comer nada.

—Señor gobernador, yo soy médico y miro por su salud mucho más que por la mía. Mi función consiste en asistir a sus comidas, y dejarle comer de lo que me parece que le conviene y quitarle lo que imagino que le ha de hacer daño al estómago.

Sancho se moría de hambre y, disgustado por las prohibiciones del médico, ordenó colérico que lo sacaran de allí.

Llegó en aquel instante un mensajero del duque alertando a Sancho de que unos enemigos pensaban atacar la isla, y también de que existía una conspiración contra él y le recomendaba que no comiera nada porque intentaban envenenarlo.

Quedó atónito Sancho, y mostraron quedarlo también los presentes.

—Denme un pedazo de pan y unas uvas —pidió Sancho al mayordomo—, que en ellas no podrá venir veneno.

Dictó entonces a su secretario una carta para el duque diciéndole que tendría cuidado y otra para su mujer Teresa Panza.

El nuevo gobernador quiso aquella noche hacer una ronda para ver la clase de gente que vivía en aquellas tierras:

—Vamos a rondar, que es mi intención limpiar esta isla de todo género de inmundicia y de holgazanes*. Pienso favorecer a los labradores, guardar sus privilegios a los hidalgos, premiar a los virtuosos y, sobre todo, respetar la religión.

Habló y obró de tal manera Sancho durante toda noche, que todos

un manjar alimento exquisito

un/a holgazán/ana persona que no quiere trabajar o que trabaja muy poco

los habitantes de la isla quedaban admirados de su gran sensatez y juicio.

—Vuestra merced —dijo el mayordomo—, estoy admirado de ver que un hombre tan sin letras como vuestra merced diga tales y tantas cosas llenas de sentido común y de acierto*, tan distinto de lo que del ingenio de vuestra merced esperaban los que nos enviaron y los que aquí estamos. Cada día se ven cosas nuevas en el mundo: las burlas se vuelven en realidad y los burladores se hallan burlados.

Con la carta de Sancho y otra del duque, así como con algunos obsequios, un paje fue a presentarse ante Teresa Panza. Cuando ella conoció el contenido de la carta, se maravilló de todo lo que su marido estaba consiguiendo y salió rápidamente a contárselo a todo el mundo. Se encontró entonces con el cura y Sansón Carrasco; les dio las cartas y, finalizada su lectura, los dos hombres se miraron admirados de lo que habían leído.

En la isla, Sancho continuaba ejerciendo sus obligaciones como juez e impartiendo sentencias. Hizo asimismo algunas ordenanzas tocantes* al buen gobierno de la que él imaginaba ser isla; y ordenó cosas tan buenas, que hasta hoy se guardan en aquel lugar, y se nombran "Las constituciones del gran gobernador Sancho Panza".

Pero los burladores de Sancho ya se habían reunido para tramar como dar fin a su gobierno...

15 La séptima noche de los días en que llevaba como gobernador de la isla, estaba Sancho en su cama, cuando oyó un gran ruido de campanas y de voces. Confuso y lleno de temor y espanto, se levantó y salió de su aposento. Vio venir por el corredor a más de veinte personas con hachas encendidas y con las espadas desenvainadas, gritando:

—¡Arma, arma, señor gobernador, que han entrado enemigos en la isla y estamos perdidos si vuestro ingenio y valor no nos socorre!

el acierto habilidad, destreza

tocante a relativo/a a

Sus sirvientes se apresuraron a cubrirlo con dos grandes escudos, uno por delante y otro por detrás, de entre los cuales sacaba la cabeza, las piernas y los brazos, como un galápago cubierto con sus conchas. Pero cayó y quedó tendido en el suelo sin poder moverse. Los que estaban fingiendo la batalla apagaron las antorchas para que Sancho no los reconociera, y comenzaron a gritar y a pasar por encima de él y a pisotearlo. Pensaba que iba a morir, mas cuando menos lo esperaba oyó voces que decían:

—¡Victoria, victoria, los enemigos han sido vencidos! ¡Ea, señor gobernador, levántese vuestra merced y venga a gozar de la victoria y a repartir el botín que se ha tomado a los enemigos por el valor de ese invencible brazo!

En aquel momento Sancho se desmayó del cansancio y del susto.

Ya amanecía cuando volvió en sí. Se vistió, aparejó lentamente su asno y anunció que había decidido marcharse. En el momento de la despedida, se dirigió al mayordomo, al secretario, al doctor, y a otros muchos que allí presentes estaban:

—Abridme camino, señores míos, y dejadme volver a mi antigua libertad. Yo no nací para ser gobernador ni para defender islas de los enemigos. Vuestras mercedes se queden con Dios y digan al duque mi señor que desnudo nací, desnudo me hallo, ni pierdo ni gano; quiero decir que sin dinero entré en este gobierno y sin él salgo, bien al revés de como suelen salir los gobernadores de otras islas. Y apártense, déjenme ir.

Intentaron convencerlo para que se quedara, mas Sancho estaba determinado a irse.

Entre alegre y triste, el escudero se puso en camino sobre su asno a buscar a su amo, cuya compañía le agradaba más que ser gobernador de todas las islas del mundo. Llegó pues a casa de los duques.

Allí, como don Quijote se había restablecido de su percance con los gatos, ya le parecía que había que salir de tanta ociosidad* como la que en aquel castillo tenía; y, así, pidió licencia a los duques para partir. Estos se la dieron con muestras de que en gran manera les pesaba que los dejase. El duque dio a Sancho, sin que lo supiera don Quijote, una bolsa con doscientos escudos de oro para suplir los menesteres* del camino. Se despidieron y emprendieron el viaje rumbo a Zaragoza.

Por el camino el hidalgo recordó a su escudero su promesa de darse los azotes para desencantar a su señora Dulcinea.

—Tenga paciencia mi señora Dulcinea—dijo Sancho—, que hasta la muerte, tengo toda una vida para hacerlo, junto con el deseo de cumplir con lo que he prometido.

Llegaron a una venta próxima para pasar la noche, y oyó allí don Quijote la conversación de unos caballeros que lo dejó pasmado:

—En tanto que traen la cena, leamos otro capítulo de la segunda parte de "Don Quijote de la Mancha".

Apenas oyó su nombre, don Quijote se puso en pie y con oído alerta escuchó lo que de él decían.

—¿Para qué quiere vuestra merced —dijo uno de los caballeros— que leamos estos disparates? El que haya leído la primera parte de la historia de don Quijote de la Mancha no es posible que pueda tener gusto en leer esta segunda.

—Con todo eso —dijo el otro—, estará bien leerla, pues no hay libro tan malo que no tenga alguna cosa buena. Lo que a mí en este menos me gusta es que pinta a don Quijote ya desenamorado* de Dulcinea del Toboso.

Oyendo lo cual don Quijote, lleno de ira y de despecho* alzó la voz y dijo:

la ociosidad estado de quien está inactivo
suplir los menestreres remediar las necesidades
desenamorado/a que ya no está enamorado/a
el despecho resentimiento producido por una ofensa

—A quienquiera que diga que don Quijote de la Mancha ha olvidado a Dulcinea del Toboso, yo le haré entender con armas iguales que está muy equivocado, porque la sin par Dulcinea del Toboso no puede ser olvidada.

—¿Quién es el que nos responde? —exclamaron los caballeros.

—¿Quién ha de ser —respondió Sancho— sino el mismo don Quijote de la Mancha?

Don Quijote tomó el libro y, sin responder palabra, comenzó a hojearlo, y se quedó asombrado de todas las mentiras que en él se decían.

Los caballeros le preguntaron entonces que adónde se dirigían, y respondió el hidalgo que a Zaragoza, para acudir a las justas* que en aquella ciudad se celebran todos los años. Pero al enterarse de que en aquel libro se decía que don Quijote había asistido a aquellas justas en Zaragoza, decidió no ir allí para demostrar la falsedad del relato.

—Hará muy bien —dijo uno de los caballeros—, y otras justas hay en Barcelona donde podrá el señor don Quijote mostrar su valor.

Con esto se despidieron, y don Quijote y Sancho se retiraron a su aposento, dejando a ambos caballeros admirados de ver aquella mezcla de discreción* y de locura; y verdaderamente creyeron que eran los verdaderos don Quijote y Sancho, y no los que describía el autor del libro que en sus manos tenían.

la justa combate a caballo y con lanza

la discreción sensatez para formar juicio

Comprensión lectora

1 **Elige la respuesta más adecuada.**

1 Al llegar a la isla como gobernador, Sancho es conducido:

A ☐ al senado
B ☐ al juzgado
C ☐ al palacio
D ☐ a la iglesia

2 ¿Qué efecto producen en sus vasallos sus juicios y sentencias?

A ☐ la admiración
B ☐ el rechazo
C ☐ una rebelión
D ☐ la indiferencia

3 ¿Cuánto tiempo permanece Sancho como gobernador?

A ☐ un día
B ☐ una noche
C ☐ una semana
D ☐ un mes

4 Don Quijote tiene que guardar cama varios días. ¿Cómo se hizo las heridas?

A ☐ Tropezó con un cordel.
B ☐ Cayó al querer saltar de la reja de su aposento.
C ☐ Un gato lo arañó.
D ☐ Le cayó un cencerro sobre la cabeza.

5 Después de la fingida batalla contra los invasores, Sancho:

A ☐ sale corriendo.
B ☐ se esconde.
C ☐ se pone furioso.
D ☐ pierde el conocimiento.

6 El escudero renuncia al cargo de gobernador de Barataria para recuperar su libertad y así:

A ☐ volver a su pueblo con su mujer.
B ☐ ir a buscar a su amo.
C ☐ aceptar el puesto de gobernador en otra isla.
D ☐ ir a ver a la señora Dulcinea.

2 Don Quijote oye una conversación sobre un libro que relata la segunda parte de sus aventuras.
Di si las siguientes afirmaciones son verdaderas (V) o falsas (F).

		V	F
1	A los dos caballeros les ha gustado mucho la segunda parte de "Don Quijote de la Mancha".	☐	☐
2	Don Quijote se enfada tanto que no quiere leer el libro.	☐	☐
3	En la continuación de la historia, don Quijote sigue muy enamorado de Dulcinea.	☐	☐
4	Don Quijote decide cambiar de rumbo y no ir a Zaragoza para demostrar que el libro es falso.	☐	☐

Vocabulario

3 Busca el sustantivo correspondiente a los verbos en negrita (una letra por guión).

1 El regimiento del pueblo salió a **recibir** a Sancho. Durante la _ _ _ _ _ _ _ _ _ todos los vecinos dieron muestras de alegría.
2 Los habitantes de la isla **entregaron** las llaves de la ciudad al nuevo gobernador. La ceremonia de _ _ _ _ _ _ _ tuvo lugar con gran pompa.
3 El médico **prohibía** ciertos alimentos a Sancho; pero este se moría de hambre y estaba harto de todas estas _ _ _ _ _ _ _ _ _ _ _ _ _.
4 Llegó un mensajero recomendando a Sancho que no comiera nada porque intentaban **envenenarlo**. Comió solo pan y uva, diciéndose que en ellas no podía haber _ _ _ _ _ _.
5 Unos enemigos **atacaron** la isla. Durante el _ _ _ _ _ _ , Sancho estuvo inmovilizado en el suelo.
6 Sancho se **desmayó**. Las causas del _ _ _ _ _ _ _ eran el cansancio y el susto que se había llevado.
7 Sancho **prometió** darse los azotes para desencantar a su señora Dulcinea. Por el camino su amo le recuerda su _ _ _ _ _ _ _.
8 Don Quijote no está de acuerdo con la manera como lo **describe** el autor del libro que narra la continuación de sus aventuras. Encuentra la _ _ _ _ _ _ _ _ _ _ _ inexacta y falsa.

4 **Entre las nuevas funciones de Sancho está la de impartir la justicia. ¿Cuál de estas palabras no tiene ninguna relación con ella? ¡Encuentra el intruso!**

• querella • estratagema • sentencia • acusar
• juicio • robo • indemnizar

Gramática

5 **Sancho escribe una carta a su mujer Teresa para darle noticias suyas. Complétala utilizando los verbos en presente de subjuntivo y sabrás lo que Sancho siente en sus primeros días de gobierno de la isla.**

Querida amiga:

Has de saber, Teresa, que por fin he tomado posesión de mi isla. Te envío un vestido de cazador verde que me dio la duquesa; acomódalo de modo que (servir) (1) __________ de saya y cuerpos para nuestra hija.

Has de saber que mis vasallos han solicitado de mi persona que (ir) (2) __________ al juzgado y que (hacer) (3) __________ justicia y (probar) (4) __________ así mis aptitudes como gobernador. Es costumbre antigua aquí y es necesario que el que toma posesión de esta famosa isla (responder) (5) __________ a una pregunta difícil para que el pueblo (juzgar) (6) __________ el ingenio de su gobernador y así (alegrarse) (7) __________ o (entristecerse) (8) __________ con su venida.
De aquí a pocos días te avisaré para decirte que (venir — tú) (9) __________ aquí conmigo o (quedarse) (10) __________ en nuestro pueblo.
Que Dios te (proteger) (11) __________, Teresa mía, y que a mí me (guardar) (12) __________ para servirte.

Tu marido el gobernador de Barataria

Expresión escrita

6 **Durante su corto gobierno, Sancho ordenó cosas tan buenas que hasta hoy se guardan en aquel lugar, y se nombran "Las constituciones del gran gobernador Sancho Panza".**

Escribe las medidas tomarías tú si fueras gobernador de una isla para contribuir a la felicidad de tus vasallos y al respeto de valores como la igualdad y la justicia.

____

____

____

____

Expresión oral

7 **El mayordomo de Sancho en la isla dice: "Cada día se ven cosas nuevas en el mundo: las burlas se vuelven en realidad y los burladores se hallan burlados".**
¿A que hace alusión? Justifica tu respuesta.

8 **¿Cómo hay que interpretar la frase que dice Sancho al dejar la isla: "[...] desnudo nací, desnudo me hallo, ni pierdo ni gano; quiero decir que sin dinero entré en este gobierno y sin él salgo, bien al revés de como suelen salir los gobernadores de otras islas."? Justifica tu respuesta.**

ANTES DE LEER

¡Tienes la palabra!

9 **Don Quijote y Sancho han decidido ir a Barcelona. Marca (✓) lo que crees que pasará.**

A ☐ Llegarán a Barcelona, donde vivirán nuevas aventuras.
B ☐ En mitad del camino decidirán volver al pueblo, hartos de tantas desventuras.
C ☐ El cura y el barbero los encontrarán y los obligarán a volver.
D ☐ Unos bandoleros los capturarán y no podrán continuar su viaje.

Capítulo 9

Que trata del enfrentamiento con el Caballero de la Blanca Luna, y de como don Quijote cayó malo, del testamento que hizo y su muerte

Salieron de la venta, informándose primero de cuál era el camino más directo para ir a Barcelona sin pasar por Zaragoza.

Descansaban en un bosque, cuando don Quijote cogió las correas de Rocinante y, con intención de azotar a su escudero para contribuir así al desencantamiento de Dulcinea, se abalanzó sobre él. Cuando se calmaron los ánimos, se levantó Sancho y fue a arrimarse* a un árbol; sintió que le tocaban la cabeza y, alzando las manos, topó con los pies de un hombre; miró hacia arriba y vio que todos aquellos árboles estaban llenos de cuerpos de ahorcados*. Don Quijote supo que estaban cerca de Barcelona, pues así castigaba la justicia a los bandoleros capturados.

Por la mañana los dos hombres se vieron rodeados de improvisto por una banda de bandoleros, cuyo jefe se llamaba Roque Guinart, quien se alegró mucho de aquel encuentro fortuito, ya que había oído hablar mucho de don Quijote y tenía ganas de conocerlo. Roque les dio un salvoconducto* para que no fueran molestados por otros bandoleros y escribió una carta a un amigo suyo de Barcelona, avisándolo de la llegada del famoso don Quijote de la Mancha.

Llegaron a una playa la víspera de San Juan, por la noche. Cuando se hizo de día, don Quijote y Sancho tendieron la vista por todas

arrimarse ponerse cerca
un/a ahorcado/a persona ejecutada colgándola de una cuerda pasada alrededor de su cuello
un salvoconducto documento que permite al portador viajar libremente

partes y vieron por primera vez el mar, que les pareció inmenso.

Se les acercaron unos caballeros a saludarlos:

—Bienvenido sea a nuestra ciudad el espejo de toda la caballería andante, el valeroso don Quijote de la Mancha: no el falso, no el ficticio, no el apócrifo* que en falsas historias estos días nos han mostrado, sino el verdadero.

Los escoltaron hasta la casa del hombre a quien Roque Guinart había escrito. Don Antonio Moreno, que así se llamaba el huésped de don Quijote, caballero rico y discreto y amigo de las bromas, lo invitó a pasar unos días en su casa; viendo en su casa al famoso hidalgo, andaba buscando de qué modo burlarse de él sin causarle perjuicio.

Después de comer, tomó don Antonio por la mano a don Quijote, y lo condujo a un apartado aposento en el que, sobre una mesa, estaba puesto un busto que parecía ser de bronce.

—Ahora que no nos oye nadie, quiero contar a vuestra merced una de las más raras novedades que imaginarse puedan. Esta cabeza ha sido fabricada por uno de los mayores encantadores que ha tenido el mundo y tiene la propiedad de responder a cuantas cosas se le preguntan. Y por experiencia sé que dice la verdad cuando responde. Pero tendremos que esperar hasta mañana.

Admirado quedó don Quijote de la propiedad de la cabeza. Salieron del aposento, cerró la puerta don Antonio con llave y se fueron a la sala donde los demás caballeros estaban.

Aquella tarde sacaron a pasear a don Quijote sin que Sancho lo acompañara y, sin que se diese cuenta, le colgaron en la espalda un cartel que decía "Este es don Quijote de la Mancha". Se admiraba luego don Quijote de ver que cuantos lo cruzaban por la calle lo nombraban y reconocían.

apócrifo/a no auténtico

Al día siguiente don Antonio llevó a don Quijote y Sancho a la estancia donde estaba la cabeza encantada para hacerle preguntas.

Empezó preguntando el huésped, don Antonio. Al oír como la cabeza respondía, todos quedaron atónitos, sobre todo porque en todo el aposento ni alrededor de la mesa no había persona humana que pudiera responder.

Le llegó el turno a don Quijote:

—Dime, ¿fue verdad o fue sueño lo que yo cuento que me pasó en la cueva de Montesinos? ¿Serán ciertos los azotes de Sancho mi escudero? ¿Tendrá efecto el desencanto de Dulcinea?

—A lo de la cueva —respondió la cabeza—, hay mucho que decir, pues de todo tiene. Los azotes de Sancho irán despacio. El desencanto de Dulcinea llegará a debida ejecución.

—No quiero saber más —dijo don Quijote.

Por último preguntó Sancho, quien también obtuvo respuesta a su pregunta.

En realidad no había magia ninguna: el busto estaba hueco y conectado a él había un tubo por el que llegaba la voz del sobrino de Antonio que se encontraba en una habitación del piso de abajo, quien, sabiendo quien había junto a la cabeza, respondía por conjeturas*.

Un día salió don Quijote a pasear y, viendo una imprenta, entró para visitarla. En ella estaban corrigiendo un libro, y, cuando preguntó su título, le respondieron que se llamaba la "Segunda parte del Ingenioso Hidalgo don Quijote de la Mancha", escrita por un tal Avallaneda, vecino de Tordesillas. Don Quijote no perdió la ocasión para criticarlo y decir que todo lo que en el libro se decía era totalmente falso.

una conjectura opinión formada a partir de indicios

▶ 16 Una mañana, mientras don Quijote paseaba por la playa armado, vio venir hacia él a un caballero también armado con una luna resplandeciente pintada en el escudo, el cual le dijo:

—Insigne caballero don Quijote de la Mancha, yo soy el Caballero de la Blanca Luna. Vengo a contender* contigo y a probar la fuerza de tus brazos, para hacerte confesar que mi dama es sin comparación más hermosa que tu Dulcinea del Toboso. Si confiesas esto de llano en llano*, evitarás tu muerte. Si peleas y yo te venzo, no quiero otra satisfacción sino que te retires a tu aldea durante un año, donde has de vivir sin tocar las armas ni buscar aventuras. Si tú me vences, quedará a tu discreción mi cabeza y serán tuyos mis armas, caballo y fama.

Don Quijote quedó admirado, tanto de la arrogancia del Caballero de la Blanca Luna como de la causa por la que lo desafiaba; pero aceptó el reto.

Algunos caballeros, entre ellos don Antonio, llegaron a la playa; al conocer la causa y las condiciones de tan de improviso batalla, se apartaron para que empezara el combate.

Don Quijote se encomendó a su Dulcinea, y sin que les diese la señal, arremetieron el uno contra el otro. Como el caballo del de la Blanca Luna era más ligero, llegó a don Quijote y se lanzó sobre él con tanta fuerza, que, sin tocarlo con la lanza, lo derribó por el suelo. Fue luego sobre él y, poniéndole la lanza sobre la visera, le dijo:

—Vencido sois, caballero, y moriréis, si no confesáis las condiciones de nuestro desafío.

Don Quijote, molido y aturdido, sin alzarse la visera, con voz debilitada y enferma, dijo:

—Dulcinea del Toboso es la más hermosa mujer del mundo y yo el más desdichado caballero de la tierra. Aprieta, caballero, la lanza y quítame la vida, pues me has quitado la honra.

contender luchar con las armas

de llano en llano clara y llanamente

—Eso no haré yo, por cierto —dijo el de la Blanca Luna: viva en su entereza la fama de la hermosura de la señora Dulcinea del Toboso, que solo me contento con que el gran don Quijote se retire a su pueblo un año, como concertamos antes de entrar en esta batalla.

Todo esto oyeron don Antonio con otros muchos que allí estaban, y oyeron asimismo que don Quijote respondió que como no le pidiese cosa que fuese en perjuicio de Dulcinea, todo lo demás cumpliría como caballero puntual y verdadero.

Se fue entonces el Caballero de la Blanca Luna y entró en la ciudad. Don Antonio lo siguió hasta un mesón* y allí lo obligó a decirle quién era.

—Sabed, señor, que a mí me llaman el bachiller Sansón Carrasco; soy del mismo pueblo que don Quijote de la Mancha, cuya locura mueve a que le tengamos lástima todos cuantos lo conocemos. Pensamos que su salvación está en su reposo y en que se esté en su tierra y en su casa. Hace tres meses que le salí al camino como caballero andante, haciéndome llamar el Caballero de los Espejos, con intención de pelear con él y vencerle sin hacerle daño, y obligarlo a volver a su pueblo y que no saliese de él en todo un año, para que en este tiempo fuera curado. En aquella ocasión la suerte lo ordenó de otra manera, porque él me venció a mí. Pero volví a buscarlo y hoy lo he vencido. Y como él es tan puntual en cumplir las órdenes de la caballería andante, sin duda alguna cumplirá su palabra. Os suplico que no le digáis a don Quijote quién soy, para que recobre su juicio un hombre que lo tiene buenísimo, si olvida las sandeces de la caballería.

Don Antonio, al oír esto, le dijo que era una pena privar al mundo del loco más gracioso que había en él, pero que comprendía sus razones y que guardaría el secreto.

un mesón establecimento en el que se hospedan viajeros

Don Quijote estuvo seis días en la cama, triste y pensativo, rememorando* sin cesar el desdichado episodio de su derrota.

A los pocos días volvían don Quijote y Sancho a su pueblo ya que debía cumplir la palabra dada.

Una noche, en mitad del sueño, don Quijote se despertó y le dijo a su escudero que sería conveniente que se diera unos azotes a cuenta del desencantamiento de Dulcinea. Sancho se negó una vez más.

Volvió otro día don Quijote a la carga*, pero esta vez prometió a su escudero que le iba a dar un cuarto de real por cada azote, y Sancho consintió en azotarse de buena gana.

—¡Oh Sancho bendito, oh Sancho amable! —respondió don Quijote— ¡Y cuán obligados hemos de quedar Dulcinea y yo a servirte todos los días que el cielo nos dé de vida!

Al cabo de unos pocos azotes, Sancho dejó de dárselos en las espaldas y los daba en los árboles, lanzando de cuando en cuando suspiros, que parecía que con cada uno de ellos se le arrancaba el alma, para que don Quijote no sospechara nada.

Don Quijote, temiendo que muriera en ello, le pidió que parara y que esperara a recobrar nuevas fuerzas para concluir su promesa.

Otra noche la pasó entre otros árboles Sancho cumpliendo su penitencia, aunque la cumplió del mismo modo que la vez anterior, y sufrieron más las cortezas de las hayas que sus espaldas. Y acabó así Sancho su tarea, de lo que quedó don Quijote muy contento, y esperaba el día para ver si en el camino encontraba a Dulcinea su señora ya desencantada.

Desde lo alto de una colina divisaron la aldea donde vivían. En la entrada del pueblo se encontraron con el cura y el bachiller Carrasco, que vinieron a ellos con los brazos abiertos.

rememorar traer a la memoria

volver a la carga insistir

Se fueron a casa de don Quijote, y hallaron en la puerta al ama y a su sobrina. También estaba allí Teresa Panza, la mujer de Sancho, con su hija Sanchica, quienes tras abrazar a sus esposo y padre, se fueron a su casa, dejando a don Quijote en la suya en compañía del cura y el bachiller.

En breves razones, don Quijote contó a sus amigos su derrota y la obligación que tenía de no salir de su aldea en un año, la cual pensaba respetar al pie de la letra. Tenía pensado hacerse pastor para entretenerse en la soledad de los campos, donde podía dar rienda suelta* a sus amorosos pensamientos.

Al terminar aquella conversación, pidió a su sobrina y al ama:

—Llevadme al lecho, que me parece que no estoy muy bueno.

Como las cosas humanas no son eternas, especialmente las vidas de los hombres, y como la de don Quijote no tenía privilegio del cielo para detener el curso de la suya, llegó su fin cuando él menos lo pensaba; porque, o ya fuese de la melancolía que le causaba el verse vencido, o ya por la disposición del cielo, que así lo ordenaba, tuvo una fiebre que lo obligó a guardar cama seis días.

El cura, el bachiller y el barbero fueron a visitarlos muchas veces; y su buen escudero Sancho Panza no se movía de su cabecera.

Llamaron sus amigos al médico, quien le tomó el pulso, y dijo que era necesario que atendiese a la salud de su alma, porque la del cuerpo corría peligro.

Don Quijote oyó aquello con ánimo sosegado, pero no lo oyeron así su ama, su sobrina y su escudero, los cuales comenzaron a llorar tiernamente, como si ya lo tuvieran muerto delante.

▶ 17 Rogó don Quijote que lo dejasen solo, porque quería dormir un poco. Así lo hicieron y durmió de un tirón más de seis horas: tanto,

dar rienda suelta a algo dejar en entera libertad algo

que pensaron el ama y la sobrina que se había de quedar en el sueño. Despertó y, habiendo recobrado la lucidez, dando grandes voces, reconoció la locura en la que había caído por su afición a los libros de caballería:

—Yo tengo juicio, ya libre y claro, sin las sombras de la ignorancia que sobre él me pusieron la lectura de los detestables libros de caballerías. Ya reconozco sus disparates y sus mentiras, y solo me pesa que este desengaño haya llegado tan tarde, que no me deja tiempo para leer otros que sean luz del alma. Me siento a punto de morir y no querría morirme dejando a todos pensando que estoy loco. Llamad a mis buenos amigos, al cura, al bachiller Sansón Carrasco y a maese Nicolás el barbero, que quiero confesarme y hacer mi testamento.

Cuando los tres llegaron, don Quijote dijo:

—Alegraos, buenos señores, de que ya no soy don Quijote de la Mancha, sino Alonso Quijano. Soy enemigo de todas estas odiosas historias de la caballería andante que ahora abomino*. Tráiganme un confesor que me confiese y un escribano que haga mi testamento.

El cura hizo salir a la gente y se quedó solo con él y lo confesó.

El bachiller fue por el escribano y al poco tiempo volvió con él y con Sancho Panza. Acabóse la confesión y salió el cura diciendo:

—Verdaderamente se muere y verdaderamente está cuerdo Alonso Quijano; bien podemos entrar para que haga su testamento.

Entró el escribano con los demás e hizo el testamento.

Y, volviéndose a Sancho, que estaba allí presente, le dijo:

—Perdóname, amigo, de la ocasión que te he dado de parecer loco como yo, haciéndote caer en el error en que yo he caído de que hubo y hay caballeros andantes en el mundo.

—¡Ay! —respondió Sancho llorando. No se muera vuestra merced,

abominar aborrecer o condenar con energía

señor mío, y viva muchos años, porque la mayor locura que puede hacer un hombre en esta vida es dejarse morir sin más ni más, sin que nadie lo mate ni otras manos le acaben que las de la melancolía. Levántese de esa cama, y vámonos al campo vestidos de pastores, como tenemos concertado: quizá tras de alguna mata hallaremos a la señora doña Dulcinea desencantada.

—Señores —dijo don Quijote—, yo fui loco y ya soy cuerdo; fui don Quijote de la Mancha y soy ahora, como he dicho, Alonso Quijano. Pueda con vuestras mercedes mi arrepentimiento y mi verdad volverme a la estimación que de mí se tenía, y prosiga adelante el señor escribano.

Y terminó las disposiciones relativas a su sobrina y al ama. Cerró el testamento, se desmayó y se tendió cuan largo era en la cama.

En tres días que aún vivió se desmayaba muy a menudo. Por fin, después de haber recibido todos los sacramentos entre compasiones y lágrimas de los que allí se hallaron, se murió.

El cura, pidió al escribano que testimoniara que Alonso Quijano, llamado comúnmente don Quijote de la Mancha, había muerto naturalmente, para quitar la ocasión de que algún otro autor que Cide Hamete lo resucitase falsamente e hiciese inacabables historias de sus hazañas.

Este fin tuvo el ingenioso hidalgo de la Mancha, cuyo pueblo el autor no quiso decir exactamente, para que todas las villas y pueblos de la Mancha contendiesen entre sí por tenérselo por suyo.

Comprensión lectora

1 Di si las siguientes afirmaciones son verdaderas (V) o falsas (F).

		V	F
1	Unos bandoleros catalanes secuestran y torturan a don Quijote y Sancho.	☐	☐
2	Es la primera vez que el hidalgo y su escudero ven el mar.	☐	☐
3	La cabeza de metal que posee Antonio Moreno habla realmente.	☐	☐
4	Don Quijote derrota al Caballero de la Blanca Luna.	☐	☐
5	El caballero de la Blanca Luna era en realidad el bandolero disfrazado.	☐	☐
6	Para que Sancho cumpla su penitencia, don Quijote le promete dinero.	☐	☐
7	Don Quijote decide hacerse pastor.	☐	☐
8	Varias semanas después de regresar a su pueblo, don Quijote cae gravemente enferno.	☐	☐
9	Antes de morir el caballero recobra el juicio.	☐	☐
10	Don Quijote reniega de los libros de caballerías.	☐	☐
11	Don Quijote muere en un último combate contra un caballero andante.	☐	☐
12	El autor nos revela el nombre del pueblo de don Quijote.	☐	☐

2 Responde a las siguientes preguntas. Justifica tu respuesta citando el texto.

1 ¿Cuál es el motivo que el Caballero de la Blanca Luna invoca para desafiar a don Quijote?

2 Cuando don Quijote pierde el combate, ¿qué le pide al caballero?

3 ¿Qué le pide el caballero a don Quijote una vez lo ha vencido?

4 ¿Por qué el cura quiere que el escribano testimonie la muerte de Alonso Quijano?

Gramática

3 Don Antonio obliga al Caballero de la Blanca Luna a explicarle quien es.
Completa su explicación con los correspondientes verbos conjugándolos en imperfecto de subjuntivo.

volver • entrar • olvidar • poder • decir • ser recobrar • cumplir • estarse

El bachiller Sansón Carrasco explicó que era del mismo pueblo que don Quijote y que todos los que conocían al hidalgo pensaban que lo mejor para él era que (1) ____________ tranquilo en su casa para que (2) ____________ curarse de su locura. Hacía tres meses había salido con la intención de pelear con él como si (3) ____________ un caballero andante. La primera vez fue derrotado, pero esta vez lo había vencido y confiaba en que don Quijote (4) ____________ su palabra y (5) ____________ a su casa , tal como habían concertado antes de que ambos (6) ____________ en la batalla.
Por ello le suplicaba que no le (7) ____________ a don Quijote quien era para que este (8) ____________ su juicio y (9) ____________ las sandeces de caballería.

Expresión oral

4 En los últimos capítulos se menciona en varias ocasiones la falsa continuación de las aventuras del hidalgo conocida como "El Quijote de Avellaneda" o también "El Quijote apócrifo" que fue publicada en 1614.

¿Cuál crees que pudo ser la reacción de Cervantes cuando supo que otro autor había escrito una continuación a su obra? ¿Y por qué crees que cita esta obra en su propio libro?

Expresión escrita

5 Como don Quijote, escribe tu testamento con tus últimas voluntades y disposiciones, e indicando a quién irán tus pertenencias.

MIGUEL DE CERVANTES SAAVEDRA (1547–1828)

Su vida

Miguel de Cervantes nace en Alcalá de Henares en 1547.
Estudia en los jesuitas.
En 1569 se traslada a Roma y entra al servicio del cardenal Acquaviva. Durante esta estancia lee a los poetas y escritores italianos, cuya influencia quedará reflejada en sus obras.
En 1570 entra en el servicio militar y participa a diferentes campañas militares. Es apresado por unos corsarios berberiscos y trasladado a Argel, donde pasa cinco años en cautiverio. Intenta escaparse varias veces sin éxito y al final es liberado gracias al pago de un rescate.
En 1580, de regreso a España, se aboca cada vez más claramente a la literatura. Se casa con Catalina de Salazar y se traslada a Sevilla para trabajar como comisario real de abastos. Es nombrado recaudador de impuestos, pero en 1597 es encarcelado, acusado de irregularidades en las cuentas.
Se instala en Valladolid y se dedica a la redacción de *El Quijote*. Es de nuevo encarcelado a causa de la oscura muerte de un caballero ocurrida a las puertas de la casa.
Vuelve a Madrid en 1606, donde vive con apuros económicos. Se entrega a la creación literaria a un ritmo desenfrenado. Muere en 1616, enfermo de hidropesía. Es enterrado en el convento de las Trinitarias Descalzas, pero sus restos mortales se han perdido.

Su obra

Cervantes cultiva los tres grandes géneros literarios con desiguales resultados.
Escribió dos poemas mayores, *El canto de Calíope* (incluido en *La Galatea*) y *Viaje al Parnaso* (1614), aunque sus contemporáneos nunca lo reconocieron como poeta.
No tuvo mejor suerte en el teatro, aunque obras como *El trato de Argel* y *La destrucción de Numancia* gozaron de un cierto éxito.
En la narrativa, su primera novela fue *La Galatea* (1685) que se inscribe en la tradición de la novela pastoril. Paralelamente a *El Quijote*, entre 1590 y 1612 escribe una serie de novelas cortas que reunirá en la colección de Novelas ejemplares en 1613. En 1617, escribe *Los trabajos de Persiles y Sigismunda*, obra publicada póstumamente.

Cervantes visto por... Cervantes

"Éste que veis aquí, de rostro aguileño, de cabello castaño, frente lisa y desembarazada, de alegres ojos y de nariz corva, aunque bien proporcionada; las barbas de plata, que no ha veinte años que fueron de oro, los bigotes grandes, la boca pequeña, los dientes ni menudos ni crecidos, porque no tiene sino seis, y ésos mal acondicionados y peor puestos, porque no tienen correspondencia los unos con los otros; el cuerpo entre dos extremos, ni grande, ni pequeño, la color viva, antes blanca que morena, algo cargado de espaldas, y no muy ligero de pies. Éste digo, que es el rostro del autor de La Galatea *y de* Don Quijote de la Mancha, *y del que hizo el* Viaje del Parnaso *(...) Llámase comúnmente Miguel de Cervantes Saavedra."*

Batalla de Lepanto

El "manco de Lepanto"

El 7 de octubre de 1571 Cervantes participa en la batalla de Lepanto, donde pierde el movimiento de la mano izquierda cuando un trozo de plomo le secciona un nervio. De ahí procede el apodo del manco de Lepanto, aunque en no perdió la mano, sino que solamente se le anquilosó.

El Día del Libro

El 23 de abril de 1616 fallecían Cervantes, Shakespeare y el Inca Garcilaso de la Vega. Por este motivo, esta fecha tan simbólica para la literatura universal fue la escogida por la UNESCO para rendir un homenaje al libro y sus autores.

LA ESPAÑA DEL QUIJOTE

Un país en crisis

Don Quijote cabalga entre finales del siglo XVI y principios del siglo XVII. Durante este período España pasa de la grandeza del Imperio de Felipe II en que nunca se ponía el sol a la decadencia política y militar, y entra en una crisis económica y social que la convierten en una potencia de segundo rango en Europa.

Diego Velázquez, *El Conde-duque de Olivares* (1634-1635)

Una sociedad en decadencia

La nobleza y el clero conservan sus tierras y privilegios mientras que los campesinos sufren todo el rigor de la crisis económica. La miseria en el campo arrastra a muchos campesinos hacia las ciudades, donde se ven abocados al ejercicio de la mendicidad cuando no la delincuencia.
La demografía se ve afectada por la expulsión de los moriscos, el flujo migratorio hacia América y la mortalidad provocada por las guerras, el hambre y las epidemias.

La figura del hidalgo

Este noble de inferior rango, cuya nobleza le viene por linaje, dispone por lo general de limitados medios de fortuna, aunque disfruta de los privilegios del estamento. Excesivamente orgulloso, juzga el trabajo como un deshonor que degrada su dignidad, por lo que la ociosidad es uno de sus rasgos distintivos. Cuida mucho las apariencias y se preocupa de conservar las formas exteriores para disimular su miseria. Se resiste a aceptar su condición de segundo plano y busca el ascenso social en las letras (justicia y administración) o las armas.

"Con la iglesia hemos topado, amigo Sancho"

La frase se suele usar con un sentido de crítica al poder de la Iglesia y, por extensión, se aplica a toda clase de cosas o instituciones que ejercen cierto poder del que no es fácil librarse. Sin embargo, don Quijote no se refiere en este pasaje a la Iglesia como institución, sino al edificio, la iglesia del pueblo. En el siglo XVII la influencia que la Iglesia ejerce en la sociedad española es enorme. La llamada Contrarreforma será la reacción de la Iglesia Católica frente a la crisis religiosa provocada por la Reforma protestante. En el Concilio de Trento se reafirman los dogmas que habían sido puestos en tela de juicio por Lutero; se reconoce asimismo al papa como autoridad suprema de la Iglesia, se fomenta el resurgimiento de antiguas órdenes como la Compañía de Jesús, y se restablece la Inquisición para controlar y garantizar la pureza de la fe católica.

Concilio de Trento (de 1545 a 1563)

Monasterio de El Escorial

El Siglo de Oro (siglos XVI-XVII)

El Siglo de Oro abarca dos períodos estéticos: el Renacimiento y el Barroco. Paradójicamente, en España las artes y las letras alcanzan su mayor apogeo en un período de crisis generalizada.

En literatura, la novela alcanza su más alto nivel de universalidad y expresión con el *Don Quijote* de Cervantes y otros géneros claramente españoles como el de la novela picaresca; en poesía sobresalen autores como Garcilaso de la Vega, Góngora y Quevedo; el teatro vive también una edad dorada y destacan autores como Lope de Vega y Calderón de la Barca.

Este periodo ve aparecer numerosos maestros de la pintura española, entre ellos El Greco, Velázquez, Zurbarán y Murillo.

El estilo arquitectónico propio de esta época es el plateresco, cuyo ejemplo más representativo es el Monasterio de El Escorial.

LA VIDA DE LA OBRA

Una obra maestra de la literatura universal

La primera parte, publicada en 1605 bajo el título de *El ingenioso hidalgo don Quijote de la Mancha*, tiene un éxito inmediato. En 1615 aparece *El ingenioso caballero don Quijote de la Mancha*, en esta segunda entrega, don Quijote y Sancho son conscientes del éxito editorial de la primera parte de sus aventuras y de que son célebres; incluso algunos personajes de la obra ya han leído el libro y los reconocen. *El Quijote* se convierte muy pronto en uno de los libros más editados y traducidos del mundo.

EL INGENIOSO HIDALGO DON QVIXOTE DE LA MANCHA,
Compuesto por Miguel de Ceruantes Saauedra.
DIRIGIDO AL DVQVE DE BEIAR, Marques de Gibraleon, Conde de Benalcaçar, y Bañares, Vizconde de la Puebla de Alcozer, Señor de las villas de Capilla, Curiel, y Burguillos.

Año, 1605.

CON PRIVILEGIO,
EN MADRID Por Iuan de la Cuesta.

Vendese en casa de Francisco de Robles, librero del Rey nro señor.

El Instituto Cervantes

Esta institución cultural pública española dependiente del Ministerio de Asuntos Exteriores fue creada en 1990. Cuenta con numerosos centros presentes en los cinco continentes que se encargan de la promoción y enseñanza de la lengua española, así como de la difusión de la cultura española e hispanoamericana.

El Quijote de Avellaneda

En 1614 aparece una segunda parte del Quijote, escrita por alguien que se oculta bajo el seudónimo de Alonso Fernández de Avellaneda, y que se proclama la auténtica continuación de las aventuras del hidalgo. Cervantes termina rápidamente su segunda parte (aparecerá en el curso del mismo año) y en ella denuncia y ridiculiza el falso Quijote.

¿La primera novela?

Cervantes es considerado como el renovador de todos los géneros narrativos de su época. Innova respecto a los modelos clásicos de la literatura y es una sátira de los libros de caballería. En *El Quijote*, Cervantes establece como tema el problema de la apariencia y la realidad. No hay tampoco un punto de vista único en el relato. Es la primera obra literaria que se puede clasificar como novela, por lo que se suele considerar a Cervantes como el creador de la novela moderna.

Dos arquetipos de categoría universal

El caballero y su escudero encarnan respectivamente al idealista y soñador, que olvida las necesidades de la vida material para correr en pos de inaccesibles quimeras, y al realista, materialista y práctico, que hace gala de mucho sentido común.
Curiosamente, a medida que avanza el libro, don Quijote va perdiendo poco a poco sus ideales influido por Sancho, mientras que este último va asimilando los ideales de su señor.

"En un lugar de la mancha de cuyo nombre no quiero acordarme..."

Esta frase ha dado lugar a múltiples especulaciones respecto a cuál sería este lugar. Aunque probablemente este lugar solo existiera en el cerebro o la imaginación del autor, una de las candidatas más serias es Argamasilla del Alba. Se piensa que Cervantes, empezó la escritura de su obra encerrado en una celda de la prisión de este pueblo.

Un fresco de personajes

Más de doscientos personajes secundarios gravitan alrededor de la curiosa pareja: clérigos, nobles, labradores, pastores, caballeros, venteros, moriscos, pueblan las páginas de *El Quijote* y, a través de ellos, Cervantes nos ofrece un reflejo de la sociedad española de la época, con una representación de todas las clases sociales y las más variadas profesiones, así como una muestra de las costumbres y de las creencias populares del momento.

La Ruta de Don Quijote

Con sus 2 500 kilómetros., la Ruta de Don Quijote es el corredor ecoturístico más largo de Europa. El viajero puede dejarse llevar por la imaginación y visitar los escenarios naturales que recorrieron el hidalgo y su fiel escudero. En 2007 el Consejo de Europa lo declaró itinerario cultural europeo, equiparándolo al Camino de Santiago.

EL QUIJOTE EN EL ARTE

Desde su publicación, la obra ha ejercido su influencia en innumerables artistas que han contribuido a materializar en el imaginario colectivo la figura y las andanzas de sus dos protagonistas, así como popularizar las escenas más emblemáticas del libro.

Mathieu Le Nain, *Don Quijote y Sancho Panza* (entre 1625 y 1630)

La pintura

La primera representación gráfica de la novela fue realizada entre 1625 y 1630, y se atribuye a los hermanos Le Nain. Desde entonces, el universo del Caballero de la Triste Figura ha inspirado las visiones de genios de la pintura como Goya, Picasso, Dalí, Delacroix o Pollock.

La música

Aunque a simple vista parezca difícil trasladar la literatura cervantina a un lenguaje musical, resulta sorprendentemente amplia la gama de versiones que la obra de Cervantes ha generado desde su aparición hasta la actualidad. La variedad de versiones musicales es notable (óperas, ballets, sinfonías, música vocal, etc.) y la nómina de compositores que encontraron su inspiración en el texto de Cervantes es impresionante y cuenta con la presencia de nombres como Falla, Rodrigo, Purcell, Strauss o Ravel.

En 1965 fue estrenado en un teatro de Broadway *El hombre de La Mancha*, uno de los musicales de mayor éxito internacional, traducido a numerosos idiomas y representado sin cesar por todo el mundo hasta nuestros días.

El cine

La obra de Cervantes ha servido también de modelo en el séptimo arte y múltiples son las adaptaciones cinematográficas y televisivas basadas en ella. *El Quijote* ha inspirado a directores de cine de países y culturas diferentes, y numerosos son los actores y actrices que han dado vida a una gran variedad de Dulcineas, Sanchos y don Quijotes.

¿Mala suerte o maldición?

Orson Welles comenzó a rodar en torno a 1955 lo que iba a ser un especial de media hora para la televisión. Pero el proyecto fue creciendo en la mente del genial realizador. El rodaje fue muy accidentado y se extendió durante décadas. Welles murió sin haber podido terminar su montaje. El director Jess Franco, amigo del cineasta, hizo el montaje de lo que se conoce como *Don Quijote de Orson Welles* (1992) siguiendo las propias indicaciones que dejó escritas el propio Welles.

En el año 2000, Terry Gillian intentó realizar *El hombre que mató a don Quijote*. Pero una sucesión de contratiempos hicieron imposible el rodaje. Al final, Keith Fullon y Louis Pepe aprovecharon todo este material para crear un documental titulado *Perdidos en la Mancha* donde cuentan todas las dificultades de este proyecto.

TEST FINAL

Di si las siguientes afirmaciones son verdaderas (V) o falsas (F).

		V	F
1	El verdadero nombre de don Quijote de la Mancha era Amadis de Gaula.	☐	☐
2	Don Quijote de la Mancha es nombrado caballero en un castillo.	☐	☐
3	Según don Quijote, los malvados enemigos que lo persiguen son unos señores feudales.	☐	☐
4	En una de sus primeras aventuras, don Quijote lucha contra unos molinos de viento creyendo que son gigantes.	☐	☐
5	Don Quijote de la Mancha quita el yelmo de Mambrino a un cura.	☐	☐
6	En una venta, don Quijote dormido lucha contra unos jamones serranos.	☐	☐
7	Don Quijote vence al Caballero de la Blanca Luna.	☐	☐
8	El Caballero de los Espejos es en realidad el bachiller Sansón Carrasco.	☐	☐
9	A la mayoría de las personas a quien salva o vence, don Quijote les hace prometer que hablen de él como el mejor caballero.	☐	☐
10	Don Quijote se enfrenta a un gorila para demostrar su valentía	☐	☐
11	El barco encantado lleva a don Quijote y Sancho al mar.	☐	☐
12	Unos duques utilizan a don Quijote para divertirse.	☐	☐
13	Sancho es nombrado gobernador de la isla Canaria.	☐	☐
14	Sancho debe darse 300 azotes para desencantar a Dulcinea.	☐	☐
15	Al final, Sancho y Don Quijote deciden convertirse en labradores.	☐	☐
16	Antes de morir el hidalgo recupera la razón y pide perdón.	☐	☐

PROGRAMA DE ESTUDIOS

Temas

Aventuras
Libros de caballerías
Locura
Amor
Ideal
Magia
Parodia
Humor

Destrezas

Describir personas y lugares
Expresar opiniones
Expresar probabilidades
Hacer suposiciones
Contar experiencias pasadas
Hablar de intenciones futuras
Narrar un evento que ha sucedido
Inventar una historia

Contenidos gramaticales

Los verbos ser y estar
El presente de indicativo
Los tiempos del pasado (pretérito indefinido e imperfecto)
El futuro imperfecto
El condicional
El presente de subjuntivo
El imperfecto de subjuntivo
El imperativo afirmativo y negativo
Los adjectivos y pronombres indefinidos
Los conectores del discurso (conjunciones)

Lecturas ELI Adolescentes

Nivel 1

Maureen Simpson, *En busca del amigo desaparecido*

Nivel 2

Miguel de Cervantes, *La gitanilla*

Johnston McCulley, *El Zorro*

Don Juan Manuel, *El conde Lucanor*

B. Brunetti, *Un mundo lejano*

Mary Flagan, *El recuerdo egipcio*

Nivel 3

Tirso de Molina, *El burlador de Sevilla*

Mary Flagan, *El diario de Val*

Maureen Simpson, *Destino Karminia*

LECTURAS ELI JÓVENES Y ADULTOS

Nivel 2

Anónimo, *El Lazarillo de Tormes*

Nivel 3

Leandro Fernández de Moratín, *El sí de las niñas*

Benito Pérez Galdós, *Marianela*

Fernando de Rojas, *La Celestina*

Nivel 4

Miguel de Cervantes, *Don Quijote de la Mancha*

Miguel de Unamuno, *Niebla*